Lições de Sade

Eliane Robert Moraes

LIÇÕES DE SADE

ensaios sobre a imaginação libertina

ILUMINURAS

Capa:
Marcelo Girard

Revisão:
Ariadne Escobar Branco

Dados Internacionais de Catalogação na Publicação (CIP)
(Câmara Brasileira do Livro, SP, Brasil)

Moraes, Eliane Robert
Lições de Sade : ensaios sobre a imaginação libertina /
Eliane Robert Moraes – [2.Reimp.] – São Paulo : Iluminuras, 2021.

ISBN 85-7321-247-0

1. Sade, Marquês de, 1740-1814 - Crítica e interpretação
2. Sadismo I. Título.

06-1923 CDD-848

Índices para catálogo sistemático:
1. Escritores franceses : Apreciação crítica :
Literatura francesa 848

2021
EDITORA ILUMINURAS LTDA.
Rua Inácio Pereira da Rocha, 389 - 05432-011 - São Paulo - SP - Brasil
Tel./ Fax: 55 11 3031-6161
iluminuras@iluminuras.com.br
www.iluminuras.com.br

Para Fernando, sempre

SUMÁRIO

APRESENTAÇÃO

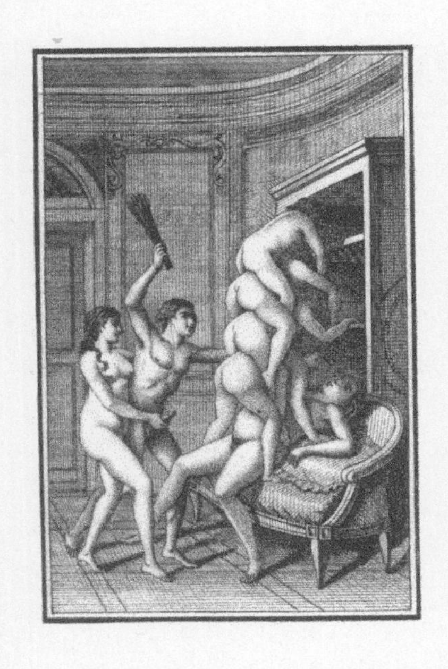

Talvez nenhum outro escritor tenha suscitado tantos mal-entendidos quanto o marquês de Sade. Publicada na clandestinidade, condenada ao fogo pela censura francesa do século XIX, e proibida em diversos países até meados do século XX, sua obra só foi liberada para venda nas livrarias de Paris depois dos gritos libertários de 1968. Considerado um autor "maldito", em vida e mesmo depois de morto, o marquês continua dando margem a especulações duvidosas que, não raro, desembocam em equívocos e preconceitos.

É bem verdade que Sade nunca se preocupou em poupar seus leitores. Afinal, trata-se de um escritor que, ao longo de toda a sua existência, dedicou-se com rigor e paixão a provar que a liberdade humana só se realiza plenamente no mal. Para tanto, ele elegeu como personagem central de seus romances a figura perturbadora do libertino que, inspirada em alguns de seus contemporâneos, aliava o maior grau de egoísmo ao máximo de prazer na crueldade. Por certo, menos que contar a história da libertinagem setecentista, o que o marquês pretendia com isso era examinar o ser humano em profundidade, conhecê-lo nas particularidades mais obscuras, dissecá-lo se necessário.

Embora tal intenção o alinhasse aos filósofos do Século das Luzes, sua literatura filosófica excedeu em muito os ideais da razão iluminista, vindo a conceber uma das mais desconcertantes ficções da liberdade humana. É o que ele deixa claro na apresentação do duque de Blangis, um dos quatro devassos das 120 journées de Sodome*:*

> *Tendo nascido traiçoeiro, áspero, prepotente, bárbaro, egoísta, tão pródigo na busca do prazer como avaro quando se tratava de ser útil, mentiroso, glutão, embriagado, ignóbil, sodomita, incestuoso, assassino, ladrão, incendiário, sem que uma só virtude compensasse esse número de vícios. O que digo? Não só ele jamais chegou a sonhar com uma simples virtude, como também as considerava com horror e muitas vezes afirmava que, para ser verdadeiramente feliz neste mundo, o homem deve, além de entregar-se a todos os vícios, nunca se permitir uma virtude, e que não é apenas uma questão de fazer sempre o mal, mas também, e acima de tudo, de nunca fazer o bem.*

Semelhante caráter encontramos no protagonista de La Philosophie dans le boudoir, *que o marquês descreve resumidamente como "o mais célebre de todos os ateus, o homem mais imoral, encarnando a corrupção mais completa e integral, e o mais perverso e ímpio dos indivíduos que possam existir no mundo". Os exemplos se multiplicam, sempre a confirmar que o principal traço do libertino de Sade é o individualismo radical, cultivado em paralelo à absoluta negação do outro. A insaciabilidade e o desregramento desses personagens fazem com que eles desconheçam qualquer vínculo entre os seres humanos, sustentando filosoficamente que a situação original do homem no universo é a do isolamento: "A natureza fez-nos nascer sozinhos, não há qualquer ligação entre um homem e outro. E cada um de nós não é para si mesmo o mundo inteiro, o centro do universo?", conclui, categórico, o cínico Dolmancé.*

Não deixa de surpreender que tamanho grau de liberdade, desembocando na apologia do egoísmo, tenha sido concebido por um homem que viveu quase a metade de sua existência na prisão. Aos treze anos passados nos cárceres de Vincennes e da Bastilha, somam-se mais quatorze, boa parte deles vividos no sanatório de Charenton, onde ele morreu em 1814. Seria fácil concluir, como muitos já fizeram, que a literatura de Sade é um reflexo das condições nas quais foi produzida. Seria fácil e confortador dizer que a liberdade de seus cruéis devassos nada mais é que o protesto ardente de um sujeito privado de sua própria liberdade.

Seria, entretanto, um equívoco. Reduzir a obra sadiana às circunstâncias da vida do autor significa condenar seu pensamento à prisão. É necessário, portanto, ver em Sade um filósofo de seu tempo que buscava, a todo custo, revelar a verdade sobre o homem. Se dessa investigação o marquês concluiu não o amor, a bondade e a compaixão que muitos de seus contemporâneos diziam encontrar na natureza humana, mas o egoísmo e a maldade, é porque ele teve a ousadia de conceber o que até então era inconcebível. Livre de qualquer ilusão realista, seu libertino representa tudo aquilo que o homem não é, nunca foi e jamais será.

Por isso, como já observou Georges Bataille, o marquês de Sade faz parte daquele grupo particular de escritores para quem a criação artística deve descobrir justamente aquilo que a realidade recusa, operando uma espécie de "ruptura com o mundo" e, por conseqüência, com as exigências sociais de ordem ética e moral. Dessa forma, sua visada última é despertar e colocar em jogo virtualidades humanas ainda insuspeitas, valendo-se da imaginação para aceder aos domínios do impossível.

Este livro aposta nessa via de leitura da literatura sadiana que, privilegiando a força imaginativa, faz eco a uma conhecida passagem das 120 journées que afirma: "toda felicidade do homem está na imaginação". Trata-se de procurar compreender o pensamento de Sade por dentro, a partir de seus próprios princípios, ciente de que o autor de Justine funda um domínio único de expressão, muitas vezes alheio às exigências de coerência, sejam elas formais ou conceituais, sejam elas literárias ou filosóficas. Trata-se, enfim, de assumir um lugar de leitura comprometido, antes de mais nada, com a fantasia do escritor.

Isso explica a razão pela qual este volume se inicia com um ensaio intitulado "A leitura na alcova", interrogando precisamente os desafios que a indomável ficção do marquês reserva aos seus leitores. Aliás, em certa medida, todos os artigos aqui apresentados acenam para semelhante inquietação, na medida em que postulam alguma forma de cumplicidade com a imaginação sadiana. São reflexões que circulam por distintos saberes — a literatura, a filosofia, a história —, mas sempre voltando atenção especial ao imaginário que sustenta tanto os discursos dos personagens quanto os enunciados do autor.

A primeira parte do livro, intitulada Interpretações, contém um conjunto de textos que têm como objeto central a obra de Sade, por vezes estabelecendo paralelos com sua vida. Nesse extenso universo, o interesse recai com freqüência nos detalhes significativos que constroem o notável domínio da fantasia sem o qual a libertinagem sadiana ficaria privada de sentido. Daí, por exemplo, o empenho em investigar as associações secretas que inspiram a Sociedade dos Amigos do Crime, ou os requintes da alimentação de Sade na prisão, ou os estranhos jogos de palavras de suas cartas, ou ainda a paisagem noir dos castelos do deboche.

Já "Um libertino no salão dos filósofos", que compõe a parte denominada Contexto, propõe uma leitura assentada em um viés francamente histórico, marcando certa diferença com os outros textos. Sendo a reflexão mais longa do volume, o ensaio visa contextualizar o "gênero de deboche" cultivado pelos personagens de Sade, na tentativa de perceber suas relações com as formas históricas da libertinagem setecentista, seja na via mais mundana, seja na mais filosófica.

Por fim, Repercussões reúne uma série de escritos que discutem o impacto do pensamento de Sade em alguns momentos expressivos, de seus primórdios até os dias de hoje. Nessa última parte, a análise recai, portanto, nas distintas apropriações da obra *sadiana, uma vez que a imaginação libertina realmente repercutiu com intensidade em outros autores e em outras épocas. Assim, os ensaios abordam desde o parentesco entre os livros de Sade e o* roman noir *do século XIX, ou a exaltação do "divino marquês" pelos surrealistas, ou as reflexões de Octavio Paz e de Roland Barthes dedicadas ao autor de Justine, até o processo movido contra o editor Jean-Jacques Pauvert por ocasião do lançamento da obra completa do escritor, em 1956.*

Lidos em conjunto, esses textos talvez exponham o aprendizado de uma leitora que vem freqüentando a literatura sadiana há duas décadas, sem deixar de se surpreender a cada nova leitura. Daí o título Lições de Sade, *uma vez que a pedagogia do autor de* La Philosophie dans le boudoir *por certo não se resume aos ensinamentos libertinos, e estende-se também ao inesgotável trabalho da imaginação para o qual ele nunca deixa de convocar o leitor.*

* * *

Os ensaios reunidos neste volume foram escritos ao longo de quase vinte anos, em resposta a solicitações diversas. Gostaria de registrar aqui minha gratidão a aqueles que, de uma forma ou de outra, me instigaram a escrevê-los, muitas vezes contribuindo com comentários generosos e sugestões valiosas. Entre eles, Luís Fernando Franklin de Matos e Renato Janine Ribeiro merecem um agradecimento particular. Sou grata também a Sandra Brazil, que me ajudou a inventar o livro, aliando delicadeza e rigor. Por fim, gostaria de expressar um reconhecimento especial a Fernando Paixão, primeiro leitor de quase todos esses textos, a quem devo inúmeras sugestões e, uma vez mais, o título do livro. A bem da verdade, tudo isso perderia a graça se ele não estivesse por perto.

Eliane Robert Moraes

INTERPRETAÇÕES

A LEITURA NA ALCOVA

É significativo que um dos livros mais importantes do marquês de Sade — *La Philosophie dans le boudoir* — associe, desde o título, a reflexão filosófica às práticas libertinas. Isso porque não se trata, como às vezes propõem as traduções apressadas, de uma filosofia *da* alcova, mas sim de uma filosofia *na* alcova. A diferença é sutil, mas essencial: aqui o filósofo desloca-se para o *boudoir* libertino, o que é bastante distinto da atitude de quem se propõe a refletir sobre a alcova sem deixar o gabinete, como fizeram muitos contemporâneos do marquês.

Antes de mais nada, vale lembrar que a alcova — espaço privilegiado da experiência libertina — é um aposento localizado estrategicamente entre o salão, onde reina a conversação, e o quarto, destinado ao amor. Segundo Yvon Belaval, "*o boudoir* simboliza o lugar de união da filosofia e do erotismo"[1]. Assim sendo, o deslocamento que se opera em *La Philosophie dans le boudoir* parece realizar-se em dois sentidos: de um lado, trata-se de corromper as idéias por meio do corpo, e de outro, de corromper o corpo por meio das idéias. Tal estratégia evidencia-se na própria estrutura dos textos de Sade, que alternam as cenas lúbricas e as discussões filosóficas num movimento vertiginoso, até o ponto de reuni-las num só ato. Quando a reflexão e a paixão se fundem, estabelece-se uma unidade entre pensamento e corpo, à qual o libertino dá o nome de "filosofia lúbrica".

---

[1] Yvon Belaval. "Prefácio", in Sade, *La Philosophie dans le boudoir*. Paris, Gallimard, 1976, pp. 7-8.

Ora, ao deslocamento do filósofo corresponde também um desvio do leitor. Todos aqueles que já acompanharam as narrativas sadianas sabem: não é simples ler Sade. Se o fosse, certamente o autor não se daria ao trabalho de sempre alertar quem o lê. Esse alerta é realizado ora na forma sutil de convite, como na Introdução de *Les 120 journées de Sodome* — "E agora, amigo leitor, prepare seu coração e sua mente para a narrativa mais impura já escrita desde que o mundo existe, livro que não encontra paralelo entre os antigos ou entre os modernos" —, ora na forma de desafio, como nesta passagem do conto "Florville et Courval": "Neste ponto a minha pena detém-se... eu deveria pedir perdão aos meus leitores, suplicar-lhes que não fossem adiante... sim... sim, eles que fiquem por aqui se não querem estremecer de horror..."[2].

Entre o convite e o desafio esboça-se claramente a constituição de um leitor, imaginado como interlocutor ideal. De início, vale lembrar que Sade recusa a idéia de que seu texto possa se oferecer a um leitor médio, ou universal: seus livros não são jamais destinados a um público abstrato. Ou seja, se a cumplicidade não é imediata para o leitor, tampouco ela é suposta pelo autor. O marquês tem em mente um público bastante restrito e específico, ao qual se expressa de forma direta e íntima, como numa conversa particular.

Vejamos, então, a quem se dirige o autor de *La Philosophie dans le boudoir*, a quem ele propõe a leitura. Há pelo menos três passagens do livro que são fundamentais para esclarecer a questão: a epígrafe que se encontra na página de rosto, a dedicatória que abre o volume e ainda uma passagem na qual o personagem Dolmancé indica quem é seu interlocutor privilegiado.

"A mãe prescreverá a leitura deste livro a sua filha", alerta a epígrafe. Conhecendo o conteúdo do volume, não é difícil concluir que estamos diante de uma afirmação em que vigoram a ironia e o sarcasmo. Nesse sentido, a frase indica justamente o "antileitor" de Sade, aquele a quem ele só se dirige com desprezo. Esse leitor que o marquês descarta por completo é representando aqui numa figura exemplar: a mãe.

Sabemos a que níveis chega a aversão às "mães de família" cultivada pelos personagens sadianos. A mãe representa, por excelência; o espaço do lar e, com ela, os ideais de infância, de educação das crianças, de amor pela família etc. Talvez nenhum livro expresse tão bem essa aversão quanto *La Philosophie dans le boudoir*: ao contrário da educadora do lar — a quem cumpre instruir os filhos sobre os

[2] Sade, *Les 120 journées de Sodome*, in *Œuvres Complètes*, tomo I. Paris, Pauvert, 1986, p. 78; e "Florville et Courval", in *Les crimes de l'amour*, *Œuvres Complètes*, tomo X. Paris, Pauvert, 1988, p. 305.

bons costumes ditados pela virtude —, Mme. de Saint-Ange, a preceptora libertina, forma sua discípula Eugénie por meio de uma educação erótica, ensinando-lhe a arte da sedução e as mais requintadas formas de se alcançar o prazer.

Fechada em sua alcova, Mme. de Saint-Ange dirige críticas radicais às "mães de família", sobretudo às mulheres virtuosas que se reúnem em torno das sociedades filantrópicas e maternais: "não há nada mais ridículo e ao mesmo tempo mais perigoso que todas essas associações: é a elas, às escolas gratuitas e às casas de caridade que nós devemos a horrível desordem em que hoje nos encontramos"[3]. O assassinato de Mme. de Mistival — mãe de Eugénie — expressa as dimensões dessa recusa: no *boudoir*, ela será sodomizada, flagelada e penetrada por um criado que a contamina com um vírus venenoso. A orgia culmina com a cena de sua filha costurando seus genitais a fim de garantir a morte lenta, indispensável aos prazeres da libertinagem que a jovem discípula rapidamente assimila.

Vale notar ainda que a alcova de Mme. de Saint-Ange contém os elementos típicos do lar: o leito, mas substituído pela otomana, objeto emblemático da volúpia; a educação, expressa na rigorosa conjunção de teoria e prática que orienta a atividade dos preceptores libertinos; as crianças, no elogio à prática do infanticídio; e, finalmente, a mãe e o pai, que se revelam no incesto, no matricídio, no parricídio. Por meio de uma troca de sinais, o *boudoir* projeta a face noturna da família, dá-lhe segredos inconfessáveis, ao mesmo tempo em que descortina por completo o que há de mais oculto nela: o sexo. Nesse sentido, a alcova é o lar pelo avesso.

A passagem contém duas possíveis referências: segundo Louis Perceau, nela cita-se, indiretamente, outra epígrafe — "A mãe proscreverá a leitura deste livro a sua filha" — contida num panfleto revolucionário de 1791, intitulado *Fureurs Utérines de Marie-Antoniette, Femme de Louis XVI*[4]. Aqui, o "proscrever" é substituído por um irônico "prescrever". Já Yvon Belaval acredita que Sade faz alusão ao prefácio de *Les Liaisons dangereuses* no qual Laclos sugere, não sem ironia, que "todas as mães de família prestariam grande serviço às suas filhas dando-lhes seu livro antes do casamento"[5]. Tal indicação não deixa de ser significativa, na medida em que também Laclos afirma que "sua obra deve agradar a pouca gente". Estamos diante de autores que têm plena convicção de que seus textos só podem ser lidos por quem for capaz de compreendê-los.

---

[3] Sade, *La Philosophie dans le boudoir*, in *Œuvres Complètes*, tomo III. Paris, Pauvert, 1986, p. 412.
[4] Citado em Gilbert Lély, *Vie du Marquis de Sade*, tomo II. Paris, Gallimard, 1957, p. 542, nota 4.
[5] Conforme Belaval, "Prefácio", in Sade, *La Philosophie dans le boudoir*, op. cit., p. 297.

* * *

É na dedicatória de *La Philosophie dans le boudoir*, contudo, que a constituição do leitor de Sade se evidencia. O livro é destinado aos libertinos e a seus pares: "Voluptuosos de todas as idades e de todos os sexos, é a vós somente que dedico esta obra; alimentai-vos de seus princípios que favorecem vossas paixões...". Ele menciona ainda as "mulheres lúbricas" e as "jovens ardentes", terminando por evocar os "amáveis devassos" que "desde a juventude não têm outros freios senão seus desejos, e outras leis senão seus caprichos"[6].

Serão esses interlocutores o público a quem Sade designa sua obra? Provavelmente sim. Mas o marquês é ainda mais genérico quando destina seus textos à leitura anônima, o que nos leva a crer que, entre a dedicatória e essa destinação, opera-se uma certa ampliação. Tais leitores estão contemplados na conhecida passagem de *La Philosophie dans le boudoir*, na qual Dolmancé afirma categoricamente: "Eu só me dirijo às pessoas capazes de me entender e estas me lerão sem perigo"[7].

Portanto, podemos resumir a questão da constituição do leitor sadiano em três níveis: na epígrafe, por meio do sarcasmo, o autor elege a figura emblemática que constitui seu "antileitor", a virtuosa mãe de família; na dedicatória, quase em tom elegíaco, ele descreve seus pares, mais precisamente seus interlocutores; e, por fim, na declaração de Dolmancé, o marquês constitui seu leitor ideal, aquele capaz de compreender o alcance da obra. Observe-se aí que a leitura sem perigo supõe tanto um leitor corajoso quanto a ausência de risco para o próprio autor.

Ora — vale perguntar —, quem Sade acreditaria poder ler esses livros sem risco nenhum? Como particularizar ainda mais esse leitor ideal? Para responder a essas questões é necessário circunscrevê-las inicialmente numa dimensão histórica: nesse caso, quais seriam os leitores a quem o marquês se dirigia em sua época? A que homens do século XVIII ele designava seu texto?

A resposta não é fácil, na medida em que o próprio autor não oferece pista segura. Sabemos que a leitura — ao lado da escrita — representou a mais constante das atividades para Sade. Na prisão, o marquês devorava uma impressionante quantidade de livros, cuja variedade de assuntos não é menos notável: romances, filosofia, obras históricas, literatura de viagem, poesia, de autores modernos e

---

[6] Sade, *La philodophie dans le boudoir*, op. cit., pp. 379-80.
[7] Idem, Ibidem, p. 479.

antigos. As biografias o comprovam, reiterando a conhecida frase de Jean Paulhan: "Sade deu tantos livros quanto Marx"[8].

No que se refere a seus contemporâneos, o marquês também revelava profundo conhecimento, tanto das obras filosóficas dos enciclopedistas quanto dos romances da época. O texto "Ideé sur les romans" oferece a dimensão desse interesse e a particularidade de seus gostos literários: Prévost, Rousseau e Voltaire eram algumas de suas preferências na literatura francesa; Fielding e Richardson, na inglesa. Além desses, há os filósofos — como o barão d'Holbach, La Mettrie e Buffon — que Sade não deixava de citar, normalmente de forma elogiosa.

Contudo, não podemos deduzir que sejam estes nomes o alvo de seus próprios textos. Um só exemplo basta para descartar tal hipótese: o mesmo Rousseau a quem Sade atribuía "uma alma de fogo" e um grande "espírito filosófico" — referindo-se a *Nouvelle Héloise* como "livro sublime que jamais encontrará imitadores" — é sumariamente descartado em outras obras suas[9]. Em *La Nouvelle Justine*, por exemplo, o marquês alude ao filósofo genebrino como um "misantropo que, muito fraco ele próprio, preferia rebaixar a si mesmo àqueles sobre os quais não ousava se elevar"[10].

Por certo não seria Rousseau o leitor ideal de Sade; quanto ao barão d'Holbach e seus fiéis companheiros, também é difícil imaginar que esses castos filósofos teriam sido capazes de compreender a filosofia lúbrica do marquês. Sabe-se que, não obstante seu ateísmo, d'Holbach e seus amigos estavam protegidos "por esse tipo de halo de honorabilidade que constituem, quando reunidas, a distinção social, a riqueza e uma irrepreensível vida privada"[11]. Os chamados "libertinos de espírito" do século XVIII sempre guardaram cautelosa distância das alcovas devassas, restringindo o âmbito de suas reflexões à moralidade dos salões.

Finalmente, é possível deduzir ainda que o "espírito filosófico" do autor de *Justine* terá sido demasiado estranho também para os escritores pornográficos da época. As críticas de Restif de la Bretonne — a quem Sade negava igualmente qualquer valor literário — o comprovam: lê-se logo no prefácio de um de seus livros, significativamente intitulado *L'Anti Justine*: "ninguém ficou mais indignado que eu com as obras do infame Sade"[12]. Esses poucos exemplos talvez sejam

---

[8] Jean Paulhan, *Le Marquis de Sade et sa complice*. Bruxelas, Complexa, p. 36. Sobre as leituras de Sade, consultar a biografia escrita por Lever: *Donatien Alphonse François, Marquis de Sade*. Paris, Fayard, 1991, pp. 372-75.

[9] Sade, "Idée sur les romans", in *Les crimes de l'amour*, op. cit., p. 69.

[10] Idem, *La Nouvelle Justine*, in *Œuvres Complètes*, tomo VII. Paris, Pauvert, 1987, p. 207.

[11] Paulette Charbonnel, Introdução a *D'Holbach — Premières Œuvres*. Paris, Editions Sociales, 1971, p. 39.

[12] Citado por Gilbert Lély, *Vie du marquis de Sade*. Paris, Gallimard, 1957, pp. 531-32.

suficientes para concluirmos que, quando o marquês constituía seu leitor ideal, ele efetivamente idealizava um leitor.

Já que não podemos nomear o público a quem Sade se dirigia, tentemos ao menos imaginá-lo a partir da formulação de Dolmancé, que supõe um grupo seleto de pessoas capazes de ler sua obra "sem perigo". Para tanto, vamos começar pela constatação mais simples: se o perigo é normalmente identificado pelo desconhecido, então aquelas pessoas capazes de ler o texto sadiano deveriam ter, no mínimo, preparo suficiente para não se assustar com ele. A ausência de perigo pressupõe algum nível de familiaridade.

Em outras palavras: se o leitor tem alguma intimidade com o *métier* libertino, aquilo que ele encontrará nos livros de Sade não se constituirá em nenhuma grande descoberta. A passagem de "Florville e Courval" — na qual o autor alerta os leitores que "não continuem se não quiserem estremecer de horror"... — supõe que só decide continuar a leitura quem tiver tal preparo para fazê-lo. Tudo se passa como se Sade não se dispusesse a chocar seu leitor.

* * *

Aqui, impõe-se uma associação. Na ópera *Don Giovanni*, de Mozart e Lorenzo da Ponte, há uma conhecida passagem na qual Leporello apresenta as conquistas de seu senhor, cujo final pode estar relacionado à suposição que formulamos anteriormente. Depois de aludir a uma infinidade de tipos de mulheres — morenas, louras, ruivas; altas e baixas; gordas e magras; jovens e velhas; nobres, burguesas ou campesinas — que compõem o catálogo de seu senhor, Leporello conclui que não há mulher no mundo que Don Juan não possa seduzir: "purche porti la gonella, voi sapete quel che fa"[13].

É justamente nessa constatação final — "voi sapete quel che fa" — que a ópera parece aproximar-se de Sade e de seu seleto público. Isso porque, tanto para o leitor do marquês quanto para o espectador da peça musical de Mozart, há algo "já sabido". Vale lembrar que a passagem em que Leporello enumera as mulheres seduzidas por Don Juan encontra-se logo no início da ópera. Digamos pois que, tanto num caso como em outro, a narrativa se sustenta bem mais no efeito de renovação do que na novidade em si.

Assistimos, nesses casos, à reiteração de um mesmo motivo. Em *Don Giovanni* esse motivo é a conquista; em Sade é o crime. O que se renova então? O que se

[13] "Desde que use saia, vós sabeis o que ele faz."

reitera? Isso também "já sabemos": em Don Juan é o catálogo, que tem sua razão de ser na renovação contínua de nomes. Em Sade, são as cenas libertinas, que se sucedem uma após a outra, numa seqüência vertiginosa e também interminável.

Gilbert Lély marca esse mesmo encadeamento numa feliz associação com o *Livro das mil e uma noites* — cuja noite adicional que se acrescenta ao número "mil", segundo Borges, apontaria a eternidade —, aludindo aos "cento e vinte e um dias de Sodoma", que estão no horizonte do primeiro romance de Sade[14]. Esses textos tão distintos — mas, de uma forma ou de outra, todos implicados na sensibilidade libertina do século XVIII — apontam precisamente para o interminável: da narrativa para Sherazade, do catálogo para Don Juan, do vício para Sade. Trata-se, portanto, de enunciados que visam a manutenção do excesso.

Voltando àquele grupo seleto que o marquês julgava capaz de compreendê-lo, é possível supor que esses leitores também "saibam o que ele faz" e, ao abrirem seus livros, "saibam o que irão encontrar ali". Portanto, não é o aspecto assustador da obra que parece lhes mover o interesse, mas justamente a capacidade do autor de renovar *ad infinitum* o seu motivo central. A esse leitor, Sade chamará de "filósofo". É o filósofo "corrompido" do qual falamos inicialmente: o filósofo *na* alcova.

* * *

Histoire de Juliette oferece uma passagem bastante esclarecedora quanto a esse aspecto. Ao apresentar-se a Juliette, o libertino Minski, que vive isolado numa ilha da Itália, afirma:

> É preciso muita filosofia para me compreender...eu sei; sou um monstro, vomitado pela natureza para cooperar com ela nas destruições que ela exige... sou um ser único na minha espécie... um... Oh! sim, conheço todas as inventivas que me gratificam, mas, poderoso o suficiente para não precisar de ninguém, sábio o suficiente para me comprazer na minha solidão, para detestar todos os homens, para desafiar sua censura, e zombar de seus sentimentos por mim, instruído o suficiente para pulverizar todos os cultos, para chacotear todas as religiões e me foder de todos os Deuses, corajoso o suficiente para abominar todos os governo, para me colocar acima de todos os laços, de todos os freios, de todos os princípios morais, eu sou feliz em meu pequeno domínio.[15]

[14] Citado por Pascal Pia (org.), *Dictionnaire des Œuvres Érotiques*. Paris, Mercure de France, 1971, p. 91.
[15] Sade, *Histoire de Juliette*, in *Œuvres Complètes*, tomo VIII. Paris, Pauvert, 1987, pp. 598-99.

Essa longa passagem, exemplar em vários sentidos, começa, portanto, com um alerta: "É preciso *muita* filosofia para me compreender". Assim o libertino justifica a entrada de Juliette em seus domínios, considerando-a "assez philosophe pour venir s'amuser quelques temps chez moi...", e identificando nela um par a sua altura[16]. Por certo, há uma forte relação entre esse "plus" que Minski exige e o "encore un effort" do discurso de Dolmancé em *La Philosophie dans le boudoir*. Tal exigência — enunciada no título "Franceses, ainda um esforço se quereis ser republicanos" — indica a mesma ordem de diferenças que Sade esboça entre os verdadeiros filósofos e aqueles a quem chama sumariamente de "demi-philosophes". Em outras palavras: também ao leitor estende-se a necessidade de ser "assez philosophe" para compreender o sistema de Sade[17].

Impossível não citar aqui a famosa passagem das *120 journées* na qual se encontra este direto e gentil pedido de adesão ao leitor:

> Trata-se da história de um magnífico banquete — seiscentos pratos diferentes se oferecem ao teu apetite: vais comê-los todos? Não, seguramente não, mas esta prodigiosa variedade alarga os limites da tua escolha e, extasiado com a ampliação das possibilidades, certamente não te queixarás do anfitrião que te regala. Escolhe e deixa o resto sem reclamar conta este resto simplesmente por não te agradar. Imagina que ele possa encantar aos outros e sê filósofo.[18]

Passagem fundamental para quem deseja estabelecer um diálogo com a obra sadiana, na medida em que insinua, de imediato, a participação erótica do leitor. Ao apresentar seu livro como um banquete, ao sugerir um "cardápio de paixões", o marquês deixa claro que nossas escolhas dizem respeito não só ao intelecto, mas também à sensualidade. O texto deve falar diretamente aos sentidos. Ou seja: uma filosofia lúbrica supõe igualmente filósofos lúbricos.

Essa disposição torna-se ainda mais clara quando Sade dirige-se uma vez mais ao leitor das *120 journées* para propor:

> Muitas extravagâncias aqui ilustradas merecerão sem dúvida o seu desagrado; sim, estou bem ciente disso. Mas há entre elas algumas que o aquecerão a ponto de lhe custar algum sêmen, e isso, leitor, é tudo que lhe pedimos. Se não dissemos tudo, se não analisamos tudo, não nos taxe de imparcialidade, porque não podemos

---

[16] Sade, *Histoire de Juliette*, in *Œuvres Complètes*, tomo VIII, op. cit., p. 599 (destaques meus).

[17] "Filósofo o bastante para compartilhar comigo certos divertimentos"; "mais"; "mais um esforço"; "filósofo pela metade".

[18] Sade, *Les 120 journées de Sodome*, op. cit., p. 79.

> adivinhar aquilo que mais lhe agrada. Pelo contrário, a você compete aproveitar o que lhe agrada...[19]

Tendo o corpo do leitor como alvo, a escrita de Sade visa, em última instância, tocar na singularidade de cada um de nós. Talvez por essa razão, as interpretações de sua obra tendem, muitas vezes, a ser perfuradas por depoimentos de leitura, já que, como sugere Jean-Marie Goulemot, as conclusões que tiramos tanto da erótica sadiana quanto do texto em si remetem inevitavelmente aos nossos próprios fantasmas[20]. Ou, como sintetiza Georges Bataille: "cada um de nós é pessoalmente visado" nos livros de Sade[21].

Não se deve concluir, porém, como conseqüência disso, que haja na obra sadiana qualquer tipo de negação do sujeito mental, intelectual. Pelo contrário: o que ela propõe é que esse mesmo sujeito assuma a matéria que lhe cabe, pois toda reflexão é produzida por um corpo e dele não pode prescindir. Em suma, o homem concebido por Sade não é cindido: idéia e corpo operam sempre em parceria. Isso fica evidente no projeto de levar a filosofia ao *boudoir*.

* * *

A leitura na alcova parece ser destinada, pois, a quem tem condições de apreciar a multiplicidade dos prazeres do crime e, mais ainda, a quem é capaz de preencher os espaços de devaneio que o autor lhe oferece. Também aqui os exemplos se multiplicam: ao aludir a uma receita para adocicar as fezes dos súditos de Silling, para que possam ser mais bem apreciadas pelo paladar libertino, Sade recomenda: "Menciono isto de passagem, para que se algum amador se dispuser a usar essa fórmula secreta, possa ser firmemente persuadido de que não há melhor". Ou, como escreve no vigésimo primeiro dia da comitiva no castelo, supondo nossa ansiedade em saber mais e mais: "Um pouco de paciência, leitor amigo, e logo não esconderemos mais nada"[22].

E quantas vezes o marquês não reitera essa disposição dizendo que "deixa o leitor entregue às suas fantasias" ou que "prefere não revelar para favorecer a imaginação" de quem o lê? Porém, perceber o requinte das diferenças que se

---

[19] Sade, *Les 120 journées de Sodome*, op. cit., p. 79.

[20] Jean-Marie Goulemot, "Beau Marquis parlez nous d'amour", in *Sade, Écrire la Crise*, Michel Camus e Philippe Roger (orgs.). Paris, Belfond, 1983, p. 130.

[21] Georges Bataille, *La Literatura y el Mal*. Madri, Taurus, 1981, p. 97.

[22] Sade, *Les 120 journées de Sodome*, op. cit., pp. 277 e 288.

constroem no texto sadiano e permitir-se criar a ordem de fantasias que ele propõe implica necessariamente uma identificação. É necessário que haja alguma aderência — sensual, intelectual ou afetiva — quando se lê. E essa exigência beira o insuportável quando se trata de um livro de Sade.

Roland Barthes, ao afirmar sua perplexidade diante do excesso da escritura de Bataille, pergunta-se: "Que tenho eu a ver com o riso, a devoção, a poesia, a violência?". O texto de Bataille, assim como o de Sade, traz sempre essa aura de "estrangeiro", que ameaça nossa humanidade e, por isso, provoca repulsa ou, pelo menos, distância. No entanto, Barthes prossegue, "basta que eu faça coincidir toda essa linguagem (estranha) com uma perturbação que em mim se chama medo para que Bataille me reconquiste: tudo o que ele escreve, então, me descreve: a coisa pega"[23]. Instala-se aí um jogo no qual a resistência só pode ser vencida por meio de uma identificação, mas esse reconhecimento tem um nome: medo.

Uma relação desafiante, tematizada incansavelmente pelos intérpretes do marquês. Bataille: "Diante dos livros de Sade, estamos como outrora devia estar o viajante angustiado perante os rochedos vertiginosos que, na sua frente, lhe barravam o caminho: qualquer movimento nos afasta deles e, no entanto, nos sentimos atraídos"[24]. Annie Le Brun:

> Ninguém jamais entrou normalmente no castelo de Silling. Prepare-se, ao penetrá-lo, para uma impressão decisiva de estar andando em falso, num passo que nos desequilibra, e nos desequilibra infinitamente. É ao preço de uma vertiginosa queda ao fundo da obscuridade individual, e somente a tal preço, que esse forte interior se abre, para confiar o segredo que o preserva de todos os ataques de fora: é preciso passar pelos subterrâneos do ser para aceder ao castelo de Silling.[25]

Esses depoimentos de leitura comprovam que Sade exige de seu leitor um tipo muito especial de coragem. Não se trata, portanto, de simplesmente acatar o sistema que ele nos apresenta (seríamos dessa forma demasiado passivos), mas, antes, de aceitar a posição de interlocutor que ele nos oferece. Recordemos a advertência de Dolmancé: só os indivíduos sem medo são capazes de encarar essa leitura e, para esses, ela não oferece perigos.

Aqui, outra aproximação se impõe, e não podemos concluir essas notas sem citar um autor que também realizou uma das mais candentes exaltações

---

[23] Roland Barthes, *Roland Barthes por Roland Barthes*. São Paulo, Cultrix, 1977, p. 154.
[24] Georges Bataille. *O erotismo*. Lisboa, Moraes Editora, 1970, p. 172.
[25] Annie Le Brun. *Soudain un bloc d'abîme, Sade*. Paris, Pauvert, 1986, p. 35.

poéticas do mal: Lautréamont. Seus *Chants de Maldoror* alertam logo no primeiro parágrafo:

> Não convém que todos leiam as páginas que seguem; somente alguns saborearão sem perigo este fruto amargo. Por conseguinte, alma tímida, antes de penetrar mais adentro nessas charnecas inexploradas, dirige teus calcanhares para trás e não para frente.[26]

A exemplo do marquês, o poeta dirige-se unicamente às almas ousadas, aquelas que poderão "saborear" suas palavras sem perigo.

Ousadia, coragem e imaginação — eis então o perfil dos leitores desejados por Sade e por Lautréamont. E não estariam eles exigindo apenas certa correspondência, certa reciprocidade por parte desses supostos interlocutores ideais? Não estariam, assim, propondo uma conversa entre iguais? É por essa razão que, se concordamos com Simone de Beauvoir na afirmação de que não se deve "votar a Sade uma simpatia muito fácil", torna-se difícil compartilhar da conclusão de seu pensamento — "pois é a minha desgraça que ele quer, a minha sujeição e a minha morte"[27].

"Sê filósofo", diz o marquês, convidando-nos a ocupar o mesmo lugar de seus personagens libertinos, e jamais a posição de vítima como sugere Beauvoir. Sade quer fazer de seu leitor não somente um cúmplice, mas também um par. Para tanto desafia-nos a imaginar, a exemplo de seus devassos, um mundo completamente organizado segundo nossos desejos; um teatro, a encenar exclusivamente nossas fantasias; um banquete, que contempla a singularidade do nosso paladar. Cabe a cada leitor, no silêncio da leitura, escolher seu assento.

---

[26] Lautréamont (Isidore Ducasse), *Les Chants de Maldoror*, in *Œuvres Poétiques Complètes*. Paris, Robert Laffond, 1980, p. 589.

[27] Simone de Beauvoir, "Deve-se queimar Sade?", in Jamil Almansur Haddad (org.). *Novelas do marquês de Sade*, Augusto de Sousa (trad.). São Paulo, Difel, 1961, p. 61.

O GOZO DO ATEU

Texto inaugural da obra de Sade, o *Dialogue entre um prête et un moribond* nada tem do acanhamento que por vezes marca os primeiros escritos de um autor[1]. Pelo contrário, o que ele revela, sob a estrutura clássica de um diálogo platônico, é a audácia de um escritor que, em pleno século XVIII, transtorna a paisagem sensível da época com uma ousadia sem precedentes: desafiando a gravidade dos rituais fúnebres, ele concebe uma alcova lúbrica bem no centro de uma câmara mortuária.

Chamado para confessar um moribundo, um padre vê-se diante de um autêntico libertino. A cada investida sua, no sentido de afirmar a mediação do santíssimo sacramento da penitência como garantia da vida eterna, o agonizante reage com ironia, criticando o ritual da extrema-unção e, com ele, todas as demais "quimeras" da religião. Aos ensinamentos da fé cristã, o devasso não cessa de opor a razão, justificando seu ponto de vista com uma densa argumentação filosófica fundada nas teses materialistas que refutam a existência de Deus. "Só me rendo à evidência que recebo dos sentidos; onde eles cessam, minha fé desfalece", diz o libertino, ostentando seu ateísmo.

Colocado diante da prova mais difícil e definitiva — a morte —, o ateu do *Diálogo* não hesita: morre como viveu. Suas últimas palavras só fazem confirmá-lo:

---

[1] Sade, *Diálogo entre um padre e um moribundo — e outras diatribes e blasfêmias*, Alain François e Contador Borges (trads.). São Paulo, Iluminuras, 2001.

"Meu fim se aproxima. Seis mulheres mais belas que a luz encontram-se no gabinete vizinho; reservei-as para este momento. Pega a tua parte e, a meu exemplo, procura esquecer em seus seios os sofismas inúteis da superstição e os erros imbecis da hipocrisia", ele diz em provocação ao padre. Numa notável inversão da apologética cristã, assentada nos "santos terrores da morte", a agonia do pecador é substituída pelo derradeiro gozo do ateu: o libertino morre feliz.

O *Diálogo* de Sade — escrito em 1782, na prisão de Vincennes — inscreve-se numa linhagem de textos filosóficos do século XVIII que, ao criticar a exploração do medo no momento da morte, opera mudança significativa nas representações fúnebres. Tal concepção aparece, por exemplo, na célebre *Carta sobre os cegos* que Diderot escreve em 1749, quando o matemático inglês Nicholas Saunderson, prestes a morrer, opõe ao representante do cristianismo sua visão materialista do universo. A exemplo do que acontece com o devasso sadiano, o personagem da *Carta* mantém-se fiel às suas convicções até no leito de morte, passando os últimos instantes a argumentar com lucidez e calma, sem se render aos medos arcaicos.

Por certo, essa mudança de atitude em relação à morte é conseqüência do espírito anti-religioso que se vinha formando desde o final do século XVII em vários pontos da Europa, com o surgimento de novas correntes de pensamento que ameaçavam a hegemonia da história sacra tradicional, desafiando a ortodoxia barroca. Ainda que a rebeldia dos primeiros descrentes fosse um tanto tímida se comparada à audácia dos personagens de Sade ou de Diderot, ela é o ponto de partida de uma tradição que, desde seus primórdios, praticava a arte do diálogo filosófico para afrontar os dogmas da religião. Nesse sentido, o *Diálogo* do marquês — no qual abundam citações do mais ateu dos filósofos setecentistas, o barão d'Holbach — também pode ser visto como um resumo da história desses movimentos de resistência que começa com os livre-pensadores seiscentistas até culminar no ateísmo dos iluministas.

Mas Sade faz muito mais do que simplesmente prolongar a rebeldia clandestina da libertinagem erudita do século XVII e a apologia da morte serena dos *philosophes* ateus. Em vez de se manter unicamente no plano discursivo, como faziam seus antecessores, o autor de *Justine* opera uma reviravolta e termina seu diálogo com uma demonstração prática. À última fala do devasso, segue-se uma nota tão breve quanto inesperada, que subverte a forma tradicional do diálogo filosófico ao introduzir uma narrativa na qual a ação toma o lugar do discurso: "O moribundo soa, as mulheres entram, e o padre torna-se em seus braços um homem corrompido por natureza, por não ter sabido explicar o que é natureza corrompida".

Trata-se, portanto, não só da morte de um ateu conseqüente, mas também do nascimento de um novo libertino, já que o padre termina rendendo-se à tese do moribundo, o que lhe obriga igualmente a passar do conceito à experiência. É sob o signo dessa demonstração que a obra do marquês se inicia, já anunciando aquela alternância entre discurso e ação que os livros posteriores não cessarão de explorar. Característica da literatura de Sade, essa alternância também particulariza a sua concepção de libertinagem, que supõe tanto a corrupção do corpo por meio das idéias quanto a corrupção das idéias por meio do corpo. Daí a importância da nota final do *Diálogo* que, ao realizar a passagem da teoria à prática, antecipa a novidade que a obra sadiana encerra.

Com a morte feliz do moribundo ateu, acrescida da conversão do padre à libertinagem, o texto do marquês inaugura uma nova concepção de ateísmo fundada no que ele chama de "identidade entre corpo e alma". Ora — Sade pergunta no primeiro discurso intitulado "Da imortalidade da alma", que faz parte do mesmo volume —,

> por meio de que raciocínio pretendem nos mostrar que essa alma, que não pode sentir, querer, pensar e agir senão por meio de seus órgãos, consegue sentir dor ou prazer, ou até mesmo ter consciência de sua existência quando os órgãos que a informavam estarão decompostos?

Partindo dessa premissa, o libertino sadiano recusa "o sistema das pessoas que teimam em dizer que a alma é substância diferente do corpo", sustentando que toda idéia tem invariavelmente uma base material. Posto isso, já não lhe basta compartilhar a disposição de espírito do ateu: é preciso também afirmar o ateísmo como experiência do corpo. Essa disposição física do ateísmo é, sem dúvida, a principal característica do sistema libertino de Sade, dando a dimensão radical de uma crítica que nunca admite idéia sem objeto, nem tampouco representação sem presença. Entende-se por que Phillipe Sollers afirma, com razão, que "Sade mostra pelo menos isto: que o mundo da representação é um bloqueio puritano que ritualiza algo não dito; que a *omissão* é seu pecado original e contínuo, a que se contrapõe, de forma direta, a escandalosa intromissão sadiana".

Com efeito, é nesse escândalo que Sollers aposta ao atribuir ao marquês a carta intitulada *Sade contra o Ser Supremo*[2], apresentada como inédita, que teria sido redigida em 1793. O texto, na verdade escrito pelo próprio Sollers, tenta dar

[2] Philippe Sollers, *Sade contra o Ser Supremo*, L. Vieira Machado (trad.). São Paulo, Estação Liberdade, 2001.

continuidade às idéias sintetizadas no *Diálogo*, mas substituindo a refutação de Deus pela recusa do culto ao Ser Supremo, tão caro aos revolucionários que destituíram o Ancien Régime. Mais do que atualizar a crítica de Sade nos termos da Revolução Francesa, a carta pretende colocar o sistema sadiano em oposição aos grandes pensamentos dos séculos XIX e XX, como os de Marx, Freud e Sartre que, segundo o autor, ainda seriam tributários da "religião" laicizada e estatal instaurada depois de 1789.

"Foram necessários doze ou treze séculos para consertar os estragos do cristianismo; quantos não serão necessários para nos recuperarmos dos danos da nova religião?", pergunta o personagem da carta imaginária, alertando que o retrato de Robespierre tomou o lugar do crucifixo. Lançando mão de um recurso anacrônico, Sollers propõe como desdobramentos lógicos da idéia de Ser Supremo os conceitos de "Espírito", "Sujeito Transcendental", "Coisa em Si" ou "Inconsciente" que, fundados numa pretensa universalidade abstrata, negariam a singularidade de cada ser concreto e, com ela, a experiência particular de cada corpo. Nada mais distante do marquês, afirma o autor no ensaio "Sade no tempo" que precede a carta, concluindo: "Só o singular é verdadeiro".

Publicados em 1989, por ocasião do bicentenário da Revolução Francesa, os textos do fundador da revista *Tel Quel* não trazem qualquer novidade para quem conhece a fortuna crítica da obra sadiana. Mais ainda: escritos em tom de manifesto, eles pecam pela superficialidade com que abordam as diferenças entre as idéias do marquês e outros pensamentos, o que, por certo, exigiria um rigor do qual o autor julga poder prescindir. Assim, entre o livro de Sollers e o *Diálogo* de Sade não há dúvida de que é o segundo volume que promete uma leitura mais instigante.

A novidade continua sendo a própria obra do marquês, cujo ateísmo radical propõe questões ainda pertinentes para a atualidade. Isso porque o ateu filósofo de Sade nada tem em comum com a disposição leviana, inconseqüente e irrefletida — sobretudo diante da morte — que caracteriza um grande contingente de ateus do mundo contemporâneo: ao pragmatismo inconsciente destes, os libertinos opõem a consciência aguda que interroga a morte de Deus até as últimas conseqüências. E, se dessa interrogação eles concluem pela afirmação do corpo, isso não se faz sem um exame exaustivo das possibilidades do "infeliz indivíduo denominado homem e jogado a contragosto neste triste universo".

O ponto de partida do ateísmo de Sade é o desamparo humano. Ninguém nasce livre; o homem, lançado ao mundo como qualquer outro animal, está "acorrentado à natureza", sujeitando-se como um "escravo" às suas leis; "hoje homem, amanhã verme, depois de amanhã mosca" — tal é a condenação que paira sobre a "infeliz humanidade". Ciente de que as religiões nascem desse sofrimento, o devasso sadiano prefere admiti-lo sem escapatórias para elaborar seu sistema. "Não bastará dar uma olhada em nossa miserável espécie humana, para melhor nos convencer de que nada nela anuncia a imortalidade?", conclui ele no opúsculo *Do Inferno*.

Contudo, como se antecipasse a célebre fórmula gramsciana — "pessimismo da razão, otimismo da ação" —, o libertino procura superar esse desamparo primordial explorando os prazeres do corpo até suas derradeiras potencialidades. A volúpia, ensina o devasso do *Diálogo* ao padre, é "o único modo que a natureza oferece para dobrar ou prolongar tua existência". Apenas ela pode substituir a consolação que a promessa de vida eterna encerra para atenuar o sofrimento humano, assegurando ao ateu uma outra forma de permanência no mundo. "Tens a loucura da imortalidade?", pergunta Madame de Saint-Ange a Eugénie em *La Philosophie dans le boudoir*, lembrando que só o desregramento dos sentidos pode perpetuar o homem no universo.

Sem a ilusão de encontrar outro mundo depois de morto, o moribundo do *Diálogo* transforma seu leito de morte em palco do prazer, onde a sensação de imortalidade deixa de ser uma quimera para alcançar o *status* de experiência. Fantasia derradeira que se produz no corpo do devasso, essa experiência cumpre o que a religião mantém apenas como promessa, realizando a sua loucura. Ao padre, uma vez convertido à libertinagem, resta a tarefa de dar continuidade — de corpo e alma — à subversão das leis humanas e divinas. Eis o que Sade chamará mais tarde, ao escrever *Justine*, de "o triunfo da filosofia".

UM OUTRO SADE

O que esperar de um livro assinado pelo marquês de Sade? Todos sabemos: monstruosas máquinas de tortura, lâminas afiadas, ferros em brasa, chicotes, correntes e outros aparatos de suplício cujo requinte está em mutilar lentamente dezenas de corpos a serviço da volúpia libertina, fazendo escorrer o sangue dos imolados e o esperma dos algozes, em cenas que têm o poder de produzir simultaneamente a dor das vítimas, o orgasmo dos devassos e o profundo desconforto dos leitores. Sim, todos sabemos; e até mesmo aqueles que jamais abriram um desses livros sabem o que eles contêm. (E não foi justamente esse conteúdo maldito que produziu a "lenda Sade", divulgada desde o final do século XIX sob o pretexto científico que traz o nome de "sadismo"?)

Os que conhecem as obras mais famosas do criador da Sociedade dos Amigos do Crime não deixarão de compartilhar a expectativa, e mesmo quem tem o cuidado de dissociar o escritor Sade do conceito de "sadismo" sabe que a principal marca de sua literatura é a associação radical do erotismo e da crueldade. Basta lembrar o primeiro romance do autor, que ele nomeia *Les 120 journées de Sodome*, escrito na Bastilha, em 1785, no qual ele explicita as bases de seu sistema por meio da progressão de seiscentas paixões sexuais, classificadas em quatro classes — simples, complexas, criminosas e assassinas. Basta abrir, ao acaso, qualquer página de *Justine* ou de *Juliette* para que salte aos olhos uma terrível cena de tortura sexual ou um inflamado discurso sobre as prosperidades do vício, devidamente ilustrado por numerosos e insólitos exemplos.

Por isso mesmo, as novelas reunidas sob o título *Les Crimes de l'amour*[1] reservam uma surpresa para o leitor. Nelas, o autor parece tomar caminho diverso, um desvio talvez, como se tivesse a firme intenção de revelar um outro Sade. Nenhuma palavra obscena, nenhuma descrição de atos eróticos ou de crueldades físicas, nenhum discurso justificando o crime. Pelo contrário, o marquês não somente utiliza aqui um vocabulário que sua época convencionou chamar de "vocabulário da decência", como também parece tomar o partido da virtude, fazendo com que ela triunfe implacavelmente sobre o vício. Lê-se em "Dorgeville" este candente apelo do narrador:

> Ó vós que ledes esta história, possa ela vos convencer da obrigação que todos nós temos de respeitar os deveres sagrados, cuja perda torna-se insuportável quando deles nos desviamos. Se, contidos pelo remorso que se faz sentir na quebra do primeiro freio, tivéssemos a força de nos determos ali, jamais os direitos da virtude se destruiriam totalmente; mas nossa fraqueza nos conduz à perdição, conselhos terríveis corrompem, exemplos perigosos pervertem, todos os perigos parecem dissipar-se, e o véu só se rasga quando a espada da justiça vem enfim deter o curso dos acontecimentos.[2]

Que Sade é esse, a nos causar estranhamento? Como reconhecê-lo nessas palavras comprometidas com os "sagrados deveres da virtude"? A questão é importante, sobretudo porque abre a possibilidade de abordar sob ângulos diversos um autor tão estigmatizado pelo conteúdo de sua obra. Perseguido e condenado em vida, suas estadias em prisões e sanatórios, durante o Ancien Régime e após a Revolução Francesa, somam quase trinta anos dos setenta e quatro que viveu. Após a sua morte, em 1814, seus livros continuaram condenados a um profundo silêncio durante todo o século XIX, prestando-se apenas às leituras perversas dos psiquiatras e clandestina de alguns poetas; e, ainda que tenha provocado grande interesse na geração que se reuniu em torno do surrealismo nas primeiras décadas do século XX, influenciando de forma decisiva autores como Guillaume Apollinaire, Georges Bataille e André Breton, a obra de Sade chegou a ser julgada pelos tribunais franceses na década de 1950, quando publicada pela primeira vez pelo editor Jean-Jacques Pauvert, sob a alegação de afronta à moral e aos bons

---

[1] Sade, *Os crimes do amor*, Magnólia Costa Santos (trad.). Porto Alegre, LP&M, 1991.

[2] Idem, "Dorgeville", *Les crimes de l'amour, Œuvres Complètes*, tomo X, op. cit., p. 457.

costumes. Some-se a isso certo rumor de que a literatura sadiana é monótona devido às excessivas repetições que o autor impõe a seu texto.

Não cabe aqui discutir as razões pelas quais essa obra foi objeto de tantas proibições no decorrer de três séculos, nem tampouco avaliar a atribuição de monotonia por parte de críticos que descartam de forma excessivamente fácil sua leitura, certamente motivados pelo desconforto que ela provoca. O que se faz importante assinalar é que o marquês foi durante muito tempo — e talvez ainda continue sendo — admitido como categoria psicológica ou exemplo sociológico, mas negado enquanto *texto*. O que importa, portanto, é perceber que todas essas construções acabaram por desfigurar o escritor, ocultando precisamente o Sade que, de forma muito especial, apresenta-se ao leitor em *Les crimes de l'amour*.

"Não é pela crueldade que se realiza o erotismo de Sade; é pela literatura." As palavras são de Simone de Beauvoir, num ensaio dedicado ao marquês[3]. Se concordarmos com ela — e é preciso fazê-lo —, devemos buscar nessas novelas não o filósofo do mal ou o apologista do crime, mas o homem de letras que Sade sempre reclamou ser. É o que ele próprio sugere ao propor uma erudita apresentação do livro, intitulada "Idée sur les romans", texto teórico de importância para a história da estética romanesca, que investiga as raízes do romance com o objetivo de analisar criticamente a produção literária setecentista. Seu rigor como escritor pode ser comprovado ainda na arquitetura dessas novelas que revelam um autor bem mais preocupado em excursionar com segurança por gêneros literários consagrados em sua época do que em expor um sistema filosófico.

* * *

Nos dois últimos anos de sua estadia na Bastilha, às vésperas da Revolução Francesa, Sade dedica-se a escrever uma série de aproximadamente cinqüenta historietas, contos e novelas com o objetivo de reuni-los em uma publicação que alternasse "textos alegres" e "textos sombrios". Ao redigir o *Catalogue raisonné des Œuvres de M. de S.*, em meados de 1788, ele anota:

> essa obra compõe quatro volumes com uma gravura a cada conto; as histórias serão combinadas de maneira tal que uma aventura alegre e mesmo picante, mas sempre dentro das regras do pudor e da decência, seja imediatamente sucedida por uma aventura séria ou trágica.[4]

[3] Simone de Beauvoir, "Deve-se queimar Sade?", in *Novelas do marquês de Sade*, op. cit., p. 34.
[4] Citado em Gilbert Lély, *Vie du marquis de Sade*, op. cit., tomo II, p. 558.

O projeto inicial, contudo, não se realiza completamente: em 1800, o editor Massé, de Paris, publica a seleção de textos que compõem *Les crimes de l'amour* sob um subtítulo que revela outro critério de compilação: "novelas heróicas e trágicas".

As razões dessa escolha são sugeridas numa passagem do texto que precede as novelas, provavelmente escrito na época da publicação, onde o marquês afirma:

> À medida que os espíritos se corrompem, à medida que uma nação envelhece, na proporção em que a natureza é mais estudada, mais bem analisada, que os preconceitos são mais bem destruídos, tanto mais necessário se torna conhecê-los. (...) quando o homem sopesou todos os seus freios, quando, com um olhar audacioso, mede suas barreiras, quando, a exemplo dos Titãs, ousa erguer até o céu a sua mão intrépida e, armado apenas de suas paixões, como aqueles o estavam com as lavas do Vesúvio, não mais teme declarar guerra aos que outrora o faziam tremer, quando os seus *desregramentos* não lhe parecem mais que *erros* legitimados por seus estudos, não se deverá falar-lhe com a mesma energia que ele próprio emprega em sua conduta?[5]

A seleção do autor responde, portanto, às exigências que ele atribui à época: nesses anos conturbados que sucedem a Revolução Francesa, Sade já não vê sentido em publicar suas historietas e contos alegres, preferindo expressar-se por meio do "trágico" e do "heróico"[6].

A edição original dos *Crimes*, em quatro volumes, contém onze novelas (ver a nota 6 deste ensaio) que, no seu conjunto, permitem que o leitor deduza quais foram as principais fontes literárias de Sade, herdeiro de toda uma tradição francesa e européia. Inicialmente é necessário evocar o *Decameron*, de Boccaccio, que o marquês tanto apreciava a ponto de projetar, em 1803, outra seleção de contos seus sob o título *Le Bocacce Français*, assim como o *Heptameron*, de Marguerite de Navarre, e, ainda, mais próximo dele, o próprio gênero da novela, que conheceu grande desenvolvimento a partir do século XVII. Sabe-se que a segunda metade

---

[5] Sade, "Idée sur les romans", *Les crimes de l'amour*, op. cit., pp. 77-78.

[6] As historietas e os contos foram publicados apenas em 1926, reunidos por Maurice Heine como *L'époux complaisant et autres récits — Historiettes, Contes et Fabliaux*, Paris, Union Générale d'Éditions, coleção 10-18, 1968. Tomo I: *Juliette et Raunai, ou la Conspiration d'Amboise, nouvelle historique; La Double Epreuve*; tomo II: *Miss Henriette Stralson, ou les Effets du désespoir, nouvelle anglaise; Faxelange ou les Torts de l'ambition; Florville et Curval ou le Fatalisme*; tomo III: *Rodrigue ou la tour Enchantée, conte allegorique; Laurence et Antonio, nouvelle italienne; Ernestine, nouvelle suedoise*; tomo IV: *Dorgeville, ou le Criminel par vertu; La Contesse de Sancerre, ou la Rivale de sa fille, anecdote de la Cour de Bourgogne; Eugénie de Franval.*Obra editada no Brasil sob o título *O marido complacente*, Paulo Hecker Filho (trad. e notas). Porto Alegre, L&PM, 1985, Coleção Rebeldes e Malditos, n. 8.

desse século, sobretudo na França e na Inglaterra, foi marcada pelo triunfo da narrativa curta e do romance de pequena proporção, em detrimento do grande romance épico que imperava anteriormente. A novela se desdobra, a partir de então, numa grande variedade de formas, e Sade é bastante consciente das inúmeras possibilidades que lhe oferece o chamado "gênero breve" para manejá-las com rigor e originalidade.

Em *A Condessa de Sancerre* é possível encontrar, de um lado, a marca clássica da novela histórica, a exemplo das *Nouvelles françaises*, de Segrais, ou de *La princese de Montpensier*, de Mme. de La Fayette, que Sade admirava profundamente. Mas o histórico, nesse caso, mescla-se ao trágico, ou, melhor dizendo, ao dramático, remetendo também a um gênero menos nobre, porém, muito popular: as "histoires tragiques", filiadas à sensibilidade barroca da França setecentista. Surgindo no século XVII com a imensa obra de Jean Pierre Camus, o bispo de Belley, este tipo de narrativa floresce durante o século seguinte numa profusão de enredos melodramáticos, pretensamente históricos ou verídicos, que têm como tema privilegiado os infortúnios, sempre apresentados ao público como histórias exemplares de propósitos morais e edificantes. E não encontramos nessa mesma chave também a figura de "Dorgeville", o "criminoso por virtude"? Mas, diversamente do que ocorre em *A Condessa de Sancerre* — onde o trágico resulta de maquinações —, sendo mais cerebral, segundo o espírito clássico da transparência e da distância, a novela "Dorgeville" apresenta um personagem perdido na obscuridade de seu destino, engendrando cegamente sua própria tragédia.

É importante lembrar que Sade escreveu essas novelas já no final do século XVIII, e que, não obstante elas estejam estruturadas segundo as tradições do gênero, há também uma profunda sintonia entre elas e a atmosfera sombria do *roman noir*, prenunciando a sensibilidade romântica. Nesse momento, o trágico se desdobra no horrendo, no terrível, e a "febre gótica" que contamina os escritores da época faz surgir os cenários sinistros, onde são encenados cruéis combates entre o vício e a virtude. Atento ao imaginário da época, o marquês escreve:

> Convenhamos apenas que este gênero, por muito mal que dele se diga, não é de modo algum destituído de certo mérito; ora, ele é o fruto inevitável dos abalos revolucionários de que a Europa inteira se ressentia. Para quem conhecia todos os infortúnios com que os malvados podem oprimir os homens, o romance tornava-se tão difícil de escrever como monótono de ler; não havia um único indivíduo que não tivesse experimentado, em quatro ou cinco anos, uma soma de desgraças que nem em um século o mais famoso romancista da literatura poderia descrever.

> Era, pois, necessário pedir auxílio aos infernos para produzir obras de interesse, e encontrar na região das quimeras o que era de conhecimento corrente dos que folheavam a história do homem neste século de ferro.[7]

Munido dessas razões, o marquês apresenta-se como escritor filiado ao gênero, ao se referir às novelas dos *Crimes* em seu *Catalogue raisonné*: "Não há, em toda a literatura da Europa (...) qualquer obra na qual o *genre sombre* tenha sido levado a um grau mais apavorante e mais patético"[8].

Certamente *Rodrigues ou la tour enchantée* é um notável exemplo deste Sade que escreve dentro dos parâmetros da estética *noir*. Porém, neste "conto alegórico", o gênero gótico é combinado com o histórico, e o autor admite, em "Idée sur les romans", ter buscado inspiração no relato de um historiador árabe, Abul-coecim-terif-aben-tario, "escritor pouco conhecido dos literatos de hoje". Segundo Maurice Heine, Abulcacim Tarif Abentarique foi o suposto historiador ao qual Miguel de Luna atribuiu a composição do romance *La verdadera hystoria del Rey Don Rodrigo*, publicado em Granada (1592-1600) e traduzido pela primeira vez para o francês por Le Roux, sob o título *Históire de la conquête d'Espagne par les Mores*, em 1680. *A lenda do Rei Rodrigo* foi objeto de inúmeras recriações antes e depois de Sade: consta da *Crônica geral de Espanha de 1344*, esta provavelmente baseada num manuscrito árabe que narrava uma lenda criada em torno do último rei godo, difundida nos séculos IX e X entre os habitantes do sul da Espanha, então sob o domínio muçulmano.

Outros estudiosos dessas novelas sugerem que a fonte oriental do marquês deve ter sido o *Livro das mil e uma noites*, suposição bastante provável já que a paixão do marquês por essa obra era tanta que ele se orgulhava em dizer que sabia o texto de cor. Convém lembrar ainda que o *roman noir* gerou uma fértil vertente oriental, a exemplo do *Vathek*, de William Beckford, e que os contos árabes proliferaram durante todo o século XVIII, seduzindo inúmeros escritores, todos eles fascinados pelas possibilidades ficcionais do chamado "exotismo oriental". Não há dúvida de que *La Double épreuve* é uma novela filiada à tradição milenoitesca, com suas longas descrições de cenários paradisíacos, de festas suntuosas, de jardins das delícias. Aqui, o gênio do autor vai combinar a vertente orientalista da literatura da época com a atmosfera dos contos de fada, a chamada *feérie*, também muito em voga no século XVIII.

---

[7] Sade, "Idée sur les romans", *Les Crimes de l'amour*, op. cit., p. 73.

[8] Citado em Gilbert Lély, *Vie du marquis de Sade*, op. cit., tomo II, p. 269.

Não é simples, como se vê, acompanhar as tradições literárias presentes na obra sadiana, dada a complexidade com que o autor estrutura seus textos, numa sutil combinação de fontes. Vale lembrar que, na prisão, o marquês dedicava todo o seu tempo à literatura. Depois da escrita, sua atividade preferida era a leitura, realizada com tamanha obstinação que levou Jean Paulhan a formular a famosa frase, freqüentemente evocada pelos intérpretes sadianos: "Sade leu tantos livros quanto Marx"[9]. Com efeito, *Les crimes de l'amour* nos colocam diante de um leitor erudito. E de um grande escritor.

* * *

Há ainda algo a dizer a respeito do título com que Sade reuniu suas novelas, bastante revelador, na medida em que enfatiza que os crimes por ele examinados têm como justificativa o amor, e não o prazer, como seria de se esperar dos heróis sadiamos. Com exceção de Rodrigo, os outros protagonistas dessas histórias são todos apaixonados — da inescrupulosa condessa de Sancerre ao ingênuo Dorgeville —, o que evidencia a opção do marquês por abrir mão da característica fundamental de seus personagens, a saber, o gosto pelo vício, sem qualquer sentimento a justificar os atos criminosos. Do ponto de vista da libertinagem, é sempre a gratuidade do mal que fundamenta o prazer, e este o único motivo que os devassos reconhecem para a prática do crime.

Sabe-se que os libertinos de Sade rejeitam todo tipo de relações que impliquem dependência entre indivíduos: para eles, a compaixão, a caridade, a fidelidade, a solidariedade, a fraternidade, são sentimentos reservados aos que preferem se escravizar em vez de deixar fluir o curso livre de suas paixões. Em resumo: as virtudes só têm sentido para os fracos. Daí, por conseqüência, o desprezo absoluto ao amor, signo da falta, marca da carência. A lúbrica Madame de Saint-Ange confidencia em *La Philosophie dans le boudoir*:

> Amo demais o prazer para ter uma só afeição. Infeliz da mulher que se entrega a esse sentimento! um amante pode fazê-la perder-se, enquanto dez cenas de libertinagem, repetidas a cada dia, se ela assim desejar, se desvanecem na noite do silêncio logo que consumadas.[10]

---

[9] Jean Paulhan. *Le Marquis de Sade et sa complice*. Bruxelas, Complexe, 1987, p. 37.
[10] Sade. *La Philosophie dans le boudoir*, op. cit., p. 424.

A entrega amorosa se opõe, portanto, à sucessão de prazeres, que faz do devasso senhor absoluto de seu destino. Ao amor, que escraviza, contrapõe-se a libertinagem, força libertadora que emancipa o indivíduo das indesejáveis dependências, fazendo-o recuperar o estado original de egoísmo e isolamento de que foi dotado pela natureza. "E cada um de nós não é para si mesmo o mundo inteiro, o centro do universo?", conclui, categórico, o cínico Dolmancé[11].

Autoridade absoluta em relação ao devasso de Sade seria outro personagem setecentista, o jovem Werther, do romance epistolar de Goethe. O apaixonado vivencia seu amor por Charlotte como perda de si mesmo, colocando-se diante da amada sob a mais extrema condição de carência. "Charlotte é sagrada para mim; todos os meus desejos se calam na sua presença. Junto dela perco toda a consciência de mim mesmo...", confidencia em uma de suas cartas[12]. O personagem vive intensamente todas as figuras do amor-paixão — a espera, a ausência, a entrega, o sofrimento e a morte — evidenciando um comportamento que merece total desprezo por parte dos libertinos, pois, ainda segundo Dolmancé, "não existe amor que resista aos efeitos de uma sã reflexão". E reitera, explicando:

> Oh! Como é falsa essa embriaguez que, absorvendo os resultados das sensações, coloca-se num tal estado que nos impede de enxergar, que nos impede de existir senão para esse objeto loucamente adorado! É isso, viver? Não será, antes, uma privação voluntária de todas as doçuras da vida? Não será permanecer, voluntariamente, nas garras de uma febre arrasadora que nos devora e absorve sem nos deixar outra felicidade que os gozos metafísicos tão semelhante aos efeitos da loucura?[13]

Se, para Werther, o objeto do desejo é um ser em permanente ausência, que jamais realiza o gozo, para o libertino somente a presença do objeto é que conta. Presença e presente; é o momento que lhe interessa, o movimento, a repetição do gozo. Esse elogio a uma vertiginosa sucessão de prazeres que o personagem sadiano compartilha não só com os cortesãos devassos de sua época, mas também com outras figuras da literatura setecentista: diz uma das lendas sobre o conquistador Don Juan que em seu catálogo constavam nomes de mais de 2 mil mulheres (640 na Itália, 230 na Alemanha, 100 na França, 91 na Turquia e 1.003 na Espanha — segundo anuncia seu criado no ato I da ópera

[11] Sade. *La Philosophie dans le boudoir*, op. cit., p. 470.
[12] Goethe. *Werther*. Lisboa, Guimarães, 1984, p. 54.
[13] Sade. *La Philosophie dans le boudoir*, op. cit., p. 480.

Don Giovanni); uma das libertinas criadas pelo novelista Andréa de Nerciat revela ter tido 4.959 amantes, classificados em categorias: "nobres, militares, advogados, financistas, burgueses, prelados, homens do povo, criados e negros"; a cifra se torna maior nas lendas sobre as aventuras amorosas de Casanova, chegando a contabilizar 5.675 mulheres.

No caso dos hiperbólicos heróis sadianos, esses números assumem proporções ainda maiores: Madame de Saint-Ange, aos trinta anos, confessa ter tido doze mil amantes no espaço de doze anos dedicados às volúpias da libertinagem, ou seja, a média de mil homens por ano! E, como essas volúpias atingem seu ápice no assassinato, vale lembrar ainda o número de mortos no incêndio que Juliette e seus amigos provocam em Roma, atingindo vinte mil pessoas. À sucessão de prazeres os devassos somam a sucessão de corpos que, se destruídos, evidenciam ainda mais sua contabilidade, como confirma o desconcertante balanço do final das *120 journées* que apresenta ao leitor as cifras de massacrados e sobreviventes da temporada libertina sediada no castelo de Silling[14].

Nada mais oposto, portanto, ao princípio da libertinagem que essa passagem dos *Fragmentos de um discurso amoroso*, de Roland Barthes, definindo o amor: "Encontro pela vida milhões de corpos; desses milhões posso desejar centenas; mas dessas centenas amo apenas um. O outro pelo qual estou apaixonado me designa a especialidade do meu desejo"[15]. Para o libertino, trata-se justamente do contrário: é a intercambialidade dos corpos — e mais: e todos os corpos do mundo — a lhe designar a especialidade de um desejo que jamais se reconhece no outro, que jamais se perde num objeto, posto que absolutamente centrado em si mesmo. Os milhões de corpos que encontra pela vida para ele têm plena equivalência; e servem unicamente para objetivar seu desejo insaciável de destruição. "Gostaria de devastar a terra inteira, vê-la coberta por meus cadáveres", diz, incisivo, um personagem da *Nouvelle Justine*[16].

Como, então, entender a presença do amor em Sade? Será suficiente explicá-la unicamente pela filiação desses *Crimes* à estética pré-romântica? Certamente não. Uma possível resposta pode ser encontrada logo nas primeiras páginas de "Idée sur les romans":

> O homem está sujeito a duas fraquezas que se relacionam com a sua existência, que a caracterizam. Onde quer que esteja tem de *orar*, onde quer que esteja tem de

[14] Sade, *Les 120 journées de Sodome*, op. cit., p. 449.
[15] Roland Barthes. *Fragmentos de um discurso amoroso*. Rio de Janeiro, Francisco Alves, 1981, p.14.
[16] Sade. Sade. *La Nouvelle Justine, Œuvres Complètes*, op. cit., tomo II, p. 193.

> *amar* e eis a base de todos os romances; fê-los para pintar os seres a quem *implorava*, fê-los para celebrar os que amava.[17]

Entendamos, pois: o amor assim como a religião são fraquezas humanas. Para discorrer contra essas fraquezas, Sade, o filósofo do mal, dedicará a maior parte de sua obra, concebendo um indivíduo absolutamente soberano, de um ateísmo radical, de um individualismo extremo, imaginando — talvez como nenhum outro pensador jamais tenha imaginado — o que seria a condição do homem sem o amor, nem a fé.

Nos *Crimes*, entretanto, uma vez mais o homem de letras vem se impor ao filósofo: se ao segundo cabe a difícil tarefa de conceber o indivíduo a partir das bases do sistema que expõe em sua literatura filosófica, ao primeiro cabe "pintar os homens tais como são", "surpreendendo-os no seu interior". Assim, o escritor se permite excursionar com liberdade por regiões interditadas ao filósofo, comprometido com o mal. E, para Sade, essas regiões proibidas seriam justamente a fé religiosa e a paixão amorosa. Eis um ponto fundamental dessas novelas.

Não exageremos, contudo: o amor em Sade aparece de mãos dadas com o vício, e não deixaremos de encontrar, nos castos *Crimes*, o incesto, a violação, o assassinato. Se a crueldade ali é mais psicológica, se a tortura é mais cerebral, se o suplício é mais fantasmático — deixando o corpo em silêncio —, nem por isso a dor é menos pungente. Pelo contrário, talvez seja ainda mais aguda — remetendo-nos imaginariamente aos chicotes, aos ferros em brasa, às correntes e a todo aparato imagético que associamos ao marquês. Este outro Sade é, no fundo, o mesmo.

---

[17] Sade, "Idée sur les romans", *Les crimes de l'amour,* op. cit., p. 63.

A IMAGINAÇÃO NO PODER

Silling é um castelo isolado do mundo. Localizado no topo de imensa montanha da Floresta Negra, a única maneira de atingi-lo é a pé, o que obriga o visitante a enfrentar uma cadeia de obstáculos. O estreito caminho que viabiliza a escalada beira um perigoso despenhadeiro. São necessárias cinco horas para se chegar ao cume da montanha, e lá uma outra particularidade topográfica impede a trajetória: trata-se de um precipício de sessenta metros de largura por trezentos de altura que isola o castelo de tal forma que só aos pássaros seria dado visitá-lo, não fosse a pequena ponte de madeira. Atravessada a ponte, uma passagem oculta por penhascos que sobem até as nuvens leva à planície onde se ergue o castelo. Escondido por um muro de dez metros de altura e ainda por um fosso extremamente profundo, seu acesso só é possível por meio de um estreito corredor subterrâneo, cuja entrada é secreta.

Para se chegar ao castelo é preciso transpor barreiras e obstáculos que estão no limite do intransponível. São necessárias calma e argúcia. Silling talvez seja a metáfora de um projeto de trabalho que exige obstinação e persistência, como o próprio projeto sadiano de classificar o erotismo, de fixar a consciência nos momentos do êxtase sexual, de aceder ao inacessível. O caminho que Sade percorre é longo e sinuoso. E parece interminável.

É em Silling que se reúnem os quatro libertinos das *120 journées de Sodome*, acompanhados de seus súditos, para ouvir e praticar as seiscentas paixões sexuais que o autor ordenadamente apresenta a seus leitores. São quatro meses de orgias ininterruptas, programadas dentro de um rigoroso calendário. Para garantir o necessário isolamento, a pequena ponte de madeira que dá acesso ao castelo é destruída; as tempestades de neve — também previstas no programa, que é posto em ação durante o inverno — contribuem para fazer cessar toda e qualquer possibilidade de comunicação com o mundo exterior.

Mas este não é um exemplo único na obra de Sade. Pelo contrário, há em seu texto uma profusão de lugares imaginários, já que é sempre em fortalezas, celas, florestas, subterrâneos, países e castelos afastados do mundo que se desenrolam as cenas libertinas. Trata-se de um mundo à parte. Um outro mundo.

Este é um tema que interessa a Foucault. Diz ele:

> não é por acaso que o sadismo, como fenômeno individual que leva o nome de um homem, nasceu do internamento e no internamento; não é por acaso que a obra de Sade está ordenada pelas imagens da Fortaleza, da Cela, do Subterrâneo, do Convento, da Ilha inacessível que constituem como que o lugar natural do destino.[1]

Ou seja, para Foucault, os livros do marquês representam a expressão de sua condição de desatinado, de homem reduzido ao silêncio das prisões e dos hospícios. É, portanto, o confinamento, a que Sade esteve sujeito durante quase toda sua vida, que determinaria seu texto. Tem-se aí uma concepção na qual a imaginação submete-se ao discurso social: a fantástica literária mantém-se, assim, estritamente dentro dos limites aos quais foi confinada.

Realmente Sade escreveu grande parte de sua obra quando esteve preso ou internado. Em 1777, aos 37 anos de idade e já tendo passado por várias detenções, ele foi encarcerado em Vincennes onde permaneceu durante sete anos, sendo então transferido para a Bastilha onde viveu mais cinco, e dali para o Sanatório de Charenton de onde, passados alguns meses, foi posto em liberdade. Só dessa vez foram treze anos de reclusão ininterrupta. Em 1801, foi novamente aprisionado e ainda uma vez transferido para Charenton onde veio a falecer após doze anos de internamento. Apesar disso, o isolamento de Sade parece transcender esses momentos de reclusão forçada. Mesmo quando em liberdade, o marquês sempre foi um homem só: dividido politicamente, crítico do Ancien Régime e da Revolução Francesa, era malvisto pela aristocracia e acusado de defensor da nobreza

---

[1] Michel Foucault, *História da loucura*. São Paulo, Perspectiva, 1978, p. 359.

pela burguesia ascendente. Perseguido por ambos, "não pertencia a qualquer das classes cujo antagonismo denuncia, é de si próprio o único semelhante"[2]. Um homem sem lugar entre os outros homens. Em outras palavras: se o escritor nasce *na* prisão, sua literatura não necessariamente nascerá *da* prisão.

Ora, parece que Foucault condena o autor de *Justine* mais uma vez ao internamento, sobretudo quando concebe seu texto como "resistência do imaginário": fato cultural datado, o "sadismo situa-se no momento em que o desatino, encerrado há mais de um século e reduzido ao silêncio, reaparece, não como figura do mundo, não mais como imagem, porém como discurso e desejo"[3]. Ao privilegiar os locais de internamento, o marquês estaria confinando sua imaginação.

Lê-se em Barthes, Bataille e Blanchot um outro Sade. Neles, o isolamento serve de mola para uma obra que o transcende. A reclusão é apenas um ponto de partida: "é a clausura que permite o sistema, quer dizer, a imaginação"[4]. Assim, o claustro do libertino abre uma porta para a liberdade: é a encenação de outra forma de existência, na qual o homem se liberta definitivamente dos valores sociais, rompendo o ciclo de servidões a que está sujeito na vida comunitária. Quando a neve cai sobre Silling, o duque de Blangis proclama:

> não se imagina quanto ganha a volúpia com toda esta segurança e aquilo que é possível fazer quando podemos dizer: estou aqui sozinho, estou no fim do mundo, subtraído a todos os olhares e sendo completamente impossível que alguma criatura chegue até mim; acabaram-se os freios e as barreiras.[5]

O isolamento conduz à perda do valor do outro: é o homem fora das relações de solidariedade, descomprometido com os laços sociais. De fato, segundo Blanchot, a moral sadiana

> está baseada na solidão absoluta. Sade disse-o e repetiu-o sob todas as formas: a natureza fez-nos nascer sozinhos, não há qualquer espécie de ligação entre um homem e outro homem. A única regra de conduta é pois a que me leva a preferir tudo o que me faz sentir feliz e a que me leva a ignorar todo o mal que a minha primazia pode causar aos outros.[6]

---

[2] Simone de Beauvoir, "Deve-se queimar Sade?", in *Novelas do marquês de Sade*, op. cit., p. 19.
[3] Foucault, *História da loucura*, op. cit., p. 359.
[4] Roland Barthes. *Sade, Fourier, Loyola*. Lisboa, Edições 70, 1979, p. 23.
[5] Citado em Barthes, idem, ibidem, p. 22.
[6] Citado em Georges Bataille. *O erotismo: o proibido e a transgressão*. Lisboa, Moraes Editores, 1980, p. 150.

Para encenar essa proposta, que rompe radicalmente com os princípios de uma sociedade comunitária, o marquês transporta-se para um outro mundo, funda uma outra forma de organização humana. Por isso, a clausura sadiana é rigorosa: "a solidão libertina não é apenas uma preocupação de ordem prática; é uma qualidade de existência, uma volúpia de ser"[7].

Talvez se possa até mesmo dizer que esse transbordamento da imaginação se deve à clausura imposta ao escritor, como sugere Bataille. "Sem a reclusão, a vida desordenada que ele levava não lhe teria permitido a possibilidade de alimentar um desejo interminável, que se propunha à sua reflexão sem que pudesse satisfazê-lo"[8]. Na solidão do cárcere, que o obriga a amortecer o corpo, Sade deixa o pensamento transbordar. Impossibilitado de realizar a carne, ele anuncia a realização da consciência.

Essas interpretações nos colocam longe da versão foucaultiana que reduz o marquês à expressão de sua condição de prisioneiro. Foucault lê Sade do "lado de fora", por meio da grade social, sem penetrar no sentido mais profundo de sua obra. É um Sade preso a seu tempo.

Não é por outra razão que o primeiro volume de sua obra *História da sexualidade* situa o criador da Sociedade dos Amigos do Crime na passagem da "sangüinidade" para a "sexualidade". A obra sadiana, segundo tal concepção, representaria a justaposição dessas duas ordens: de um lado a obstinação em falar, contabilizar e classificar o erotismo, que reflete a obsessão do final do século XVIII em colocar o sexo em discurso e em produzir a sexualidade. De outro, a ênfase no desregramento e no excesso revelaria sua vinculação ao antigo poder de soberania e aos velhos prestígios do sangue nobre. Diz Foucault:

> Foram os nossos procedimentos do poder, elaborados durante a época clássica e postos em ação no século XIX, que fizeram passar nossas sociedades de uma *simbólica do sangue* para uma *analítica da sexualidade*. Não é difícil ver que, se há algo que se encontra do lado da lei, da morte, da transgressão, do simbólico e da soberania, é o sangue; a sexualidade, quanto a ela, encontra-se do lado da norma, do saber, da vida, do sentido, das disciplinas e das regulamentações.[9]

É por meio dessa passagem, tematizada na *História da loucura* como a transição da "libertinagem" vinculada à nobreza para a "iluminação" da burguesia ascendente,

[7] Roland Barthes. *Sade, Fourier, Loyola*, op. cit., p. 22.
[8] Georges Bataille. *La Literatura y el Mal*. Madri, Taurus, 1977, p. 99.
[9] Michel Foucault. *História da sexualidade I – a vontade de saber*. Rio de Janeiro, Graal, 1980, p. 139.

que Foucault lê a obra do marquês: um Sade envolvido por completo pelas teias de um poder que produz o *sujeito* enquanto *sujeição*.

Talvez seja importante investigar mais de perto essa concepção. O sujeito do desejo que nos apresenta a obra foucaultiana só aparece manifesto na articulação dos discursos do *poder* e do *saber*, e na íntima correlação entre as formas de subjetividade e o sistema de regras e coerções sociais de determinada época. A sexualidade, a partir do século XVIII, é considerada um campo privilegiado para a apreensão do sujeito. Originado pela exigência de confissão, o projeto de uma ciência do sujeito começa a gravitar em torno da questão do sexo:

> a causalidade no sujeito, o inconsciente do sujeito, a verdade do sujeito no outro que sabe, o saber, nele, daquilo que ele próprio ignora, tudo isso foi possível desenrolar-se no discurso do sexo. Contudo, não devido a alguma propriedade natural inerente ao próprio sexo, mas em função das táticas de poder que são imanentes a tal discurso.[10]

Mas Foucault não se limita à época clássica. Ele vai buscar as origens dessa noção de sujeito no pensamento grego clássico, onde "a temática de uma relação entre a abstinência sexual e o acesso à verdade já estava fortemente marcada"[11]. Para ele, a austeridade sexual recomendada pela filosofia grega diz respeito a uma história da "ética" entendida como a elaboração de uma forma de relação consigo mesmo que permite ao indivíduo constituir-se como sujeito de uma conduta moral.

Tornar-se sujeito significa, segundo essa concepção, sujeitar-se a si mesmo, submeter-se a seu próprio controle, ser "senhor de si". Em outras palavras: nessa perspectiva, o sujeito se constitui enquanto tal quando se liberta da escravidão das paixões. O homem soberano é aquele que não se deixa levar pelos apetites e pelos prazeres, mantendo uma relação de domínio sobre seus sentidos. Não que a atividade sexual seja considerada má em si, mas mesmo quando encarada como natural e regeneradora ela é objeto de cuidado moral, e requere delimitação, pois seu impulso natural se faz em direção ao excesso, tendendo ao exagero.

> Na doutrina cristã da carne, a força excessiva do prazer encontra seu princípio na queda e na falta que marca desde então a natureza humana. Para o pensamento grego clássico essa força é por natureza virtualmente excessiva e a questão moral

---

[10] Michel Foucault. *História da sexualidade I – a vontade de saber*, op. cit., p. 69.
[11] Idem, ibidem, p. 23.

> consistirá em saber de que maneira enfrentar essa força, de que maneira dominá-la e garantir a economia conveniente dessa mesma força.[12]

A liberdade é aí pensada como forma de soberania que o homem exerce sobre si mesmo e não como a independência de um livre arbítrio: "Ser livre em relação aos prazeres é não estar a seu serviço, é não ser seu escravo"[13]. Por trás dessa concepção está a idéia de uma batalha que o indivíduo trava consigo mesmo: de um lado as forças selvagens do desejo e de outro a "alma-acrópole" que busca o comedimento. Corpo e alma: duas realidades que se opõem, dois princípios em permanente luta. A ética grega da carne toma partido: a alma deve prevalecer.

Nada mais distante da proposição libertina do que essa formulação do pensamento grego. Para Sade, tornar-se sujeito significa acatar a natureza, perseguir as paixões e o excesso natural ao qual se inclina o erotismo. O homem sadiano não é cindido em corpo e alma, não luta consigo mesmo, e, sobretudo, não se define por meio de sua ação sobre si mesmo: é nos outros que lhe compete agir. Sua soberania se exerce exclusivamente em relação ao outro.

Se há alguma batalha que esse sujeito integral trava é tão-somente com sua própria fonte de poder. Por isso, o libertino está sempre a desafiar a natureza, incitando-a a lhe apontar um limite, provocando o excesso com ainda mais excesso. Seu objetivo último é ultrapassá-la. Mas, derrotado diante dessa força que consente em tudo, só lhe resta o desabafo: "a impossibilidade de ultrajar a natureza é, na minha opinião, o maior suplício do homem!"[14].

Ao se propor este embate, o devasso sadiano assume um face a face com a natureza, não para dominá-la, mas para superá-la. Trata-se, portanto, de um sujeito todo-poderoso, que nada tem em comum com o homem "livre" da Grécia clássica, submetido aos rigorosos princípios da razão e a uma soberania que tem seu fundamento na austeridade sexual. Em Sade, o exercício da liberdade jamais implica renúncias. Ao contrário, para ele o "escravo das paixões" é justamente aquele que, ao reprimir suas inclinações naturais, transforma-se num "carrasco de si mesmo".

Essa reivindicação radical de liberdade — concebida de tal forma que só se realiza no plano individual — nos coloca diante de um homem muito distante

---

[12] Michel Foucault. *História da sexualidade I – a vontade de saber*, op. cit., p. 48.

[13] Idem, ibidem, p. 74.

[14] Citado em Beauvoir, "Deve-se queimar Sade?", in *Novelas do marquês de Sade*, op. cit., p. 57.

daquele sujeito foucaultiano que o poder produz enquanto *sujeição*. Ou, dizendo de outra forma, daquele sujeito cuja existência não supõe espaço algum para a *volúpia*.

Daí resulta que, se Sade pode ser lido à luz das hipóteses foucaultianas, estas não dão conta de todo o espectro de sua obra, justamente por não tocarem nas relações entre a sexualidade e o erotismo, ou seja, no que Octavio Paz chamou de "jogo passional"[15]. Ao enquadrá-lo em seu tempo, Foucault pensa o marquês a partir de um princípio da *carência*, vendo seus livros mais como contraposição aos valores da época, e menos pelo que eles efetivamente afirmam. Tratado apenas enquanto contra-censura, o texto sadiano fica restrito àquilo que nele há de provocação, mas não ao que resulta da *criação*. Ora, segundo Barthes, a subversão mais profunda da obra de Sade está na invenção de um discurso paradoxal, no romanesco que ela cria a partir do interdito.

Logo que se instalam os libertinos em Silling, um deles convoca todas as mulheres ao auditório e profere um discurso significativo:

> Estais encerradas numa cidadela impregnável; ninguém na terra sabe que aqui estais, estais fora do alcance de vossos amigos, de vossos parentes: no que respeita ao mundo, estais já mortas, e se ainda respirais, é por prazer nosso, e apenas para ele. E quem são as pessoas a quem estais agora subordinadas? Seres de uma profunda e reconhecida criminalidade, que não têm deus além de sua lubricidade, leis além de sua depravação, cuidados além de seu deboche, sem deus, sem princípios, devassos descrentes, dos quais o menos criminoso está conspurcado por mais infâmias do que poderíeis contar, e aos olhos de quem a vida de uma mulher — que estou dizendo, a vida de uma mulher — a vida de todas as mulheres à face da terra é tão insignificante, como o esmagar de uma mosca. Poucos excessos haverá, sem dúvida, a que não seremos levados; não permitais que um deles vos assombre, emprestai-vos a todos sem pestanejar e ao deparar seja o que for, mostrai paciência, submissão e coragem.[16]

Essa passagem evidencia o lugar que o libertino ocupa no mundo. Movido por uma força inesgotável, que lhe foi dotada pela natureza, o homem sadiano exerce um poder absoluto, irreversível, que nunca prevê revolta, que faz suas próprias leis e define o sentido de todas as ações que o cercam sem constrangimentos de qualquer ordem. Dessa forma, os personagens de Sade

[15] Tomamos emprestada a expressão utilizada por Octavio Paz em sua crítica a Lévi-Strauss in Octavio Paz, *Claude Lévi-Strauss ou o novo festim de Esopo*, São Paulo, Perspectiva, 1977, p. 94.

[16] Sade, *Os 120 dias de Sodoma*, São Paulo, Aquarius, 1980, p. 57.

realizam na ficção aquilo que Jean Baudrillard concebe como irrealizável: o "desafio ao poder de ser poder: total, irreversível, sem escrúpulos e de uma violência sem limite"[17].

Por certo, foi a literatura, por seu caráter ilimitado, que possibilitou ao marquês conceber esse nível de soberania, esse extremo do poder que ultrapassa os limites do possível. As cenas sadianas superam qualquer possibilidade da natureza humana: os devassos são incansáveis, as vítimas nunca protestam e algumas das práticas eróticas só seriam realizáveis por acrobatas inumanos ou máquinas perfeitas. "Há apenas um modo de se satisfazer com os fantasmas que criam a devassidão: é jogar com a irrealidade deles. Escolhendo o erotismo, Sade escolheu o imaginário; só no imaginário conseguirá instalar-se com segurança, sem irriscar decepções", afirma Simone de Beauvoir, completando: "não é pela crueldade que se realiza o erotismo de Sade: é pela literatura"[18].

Com efeito, somente a ficção pode garantir a realização do impossível. E não é justamente o impossível que está na mira do marquês? Falar do excesso, ou seja, daquilo que escapa a todos os limites; ordenar o erotismo, caótico por natureza; classificar as paixões, como se existissem em número limitado; fixar a consciência nos momentos de êxtase, quando o sujeito se aliena. Enfim, realizar a carne sem se perder nela.

Por isso, no seu empenho de classificar, contabilizar e ordenar a experiência erótica, Sade se defronta invariavelmente com o excesso e o desregramento. Ao colocar o sexo em discurso ele aponta para o infinito da linguagem erótica, onde a saturação existe apenas provisoriamente, onde a liberdade abre para o vazio.

Um trabalho interminável. Um projeto utópico. Não é por outra razão que Barthes conferiu ao marquês o mérito de ter inaugurado uma língua erótica: uma forma retórica com regras e convenções próprias que ordenam a experiência sexual. Uma língua que formaliza o erotismo, substituindo o segredo pela prática. Uma "língua adâmica", conclui o crítico, não só por se referir a toda humanidade, mas sobretudo por ser falada pelo primeiro homem. Aquele que não se vê confrontado com outros, apenas com Deus e com a natureza; aquele que se pretende autor de tudo.

Essa autoria absoluta é, de fato, o principal traço do libertino, como propõe ainda Simone de Beauvoir: "não é a desgraça de outrem que exalta o libertino, mas o saber-se autor dela"[19]. Barthes acrescenta:

---

[17] Jean Baudrillard, *Esquecer Foucault*, Rio de Janeiro, Rocco, 1984, p. 83.
[18] Citado em Beauvoir, "Deve-se queimar Sade?", in *Novelas do marquês de Sade*, op. cit., p. 34.
[19] Idem, ibidem, p. 59.

> o senhor é aquele que fala, que dispõe completamente da linguagem; o objeto é aquele que se cala, permanece separado, por uma mutilação — mais absoluta do que todos os suplícios eróticos — de todo acesso ao discurso, pois nem sequer tem o direito de receber a palavra do senhor.[20]

Se isso acontece, completa Bataille, é porque, por princípio, a linguagem do devasso sadiano "nega a relação daquele que fala com aqueles a quem se dirige"[21].

Na sua solidão, o libertino não tem que prestar contas a ninguém. No seu mundo imaginário, ele é um deus todo-poderoso — cria, transforma e destrói. Propõe à consciência o espetáculo do delírio, e se abandona à sua vertigem.

---

[20] Roland Barthes, *Sade, Fourier, Loyola*, op. cit., p. 35.

[21] Georges Bataille, *O erotismo: o proibido e a transgressão*, op. cit., p. 170.

O CRIME ENTRE AMIGOS

Logo na introdução de seu primeiro livro, o marquês de Sade adverte sobre a leitura das páginas que se seguem:

> E agora, amigo leitor, prepare seu coração e sua mente para a narrativa mais impura já escrita desde que o mundo existe, livro que não encontra paralelo entre os antigos ou entre os modernos. Imagine que todos os prazeres honestos ou prescritos por essa tola de quem você fala incessantemente sem conhecê-la, dando-lhe o nome de natureza, imagine, digo eu, que todos esses prazeres serão expressamente excluídos desta antologia, ou que, se porventura aqui aparecerem, estarão sempre acompanhados de um crime ou coloridos por alguma infâmia.[1]

A passagem pertence a *Les 120 journées de Sodome*, escrito no final de 1785, numa sombria cela da Bastilha. O livro é considerado uma espécie de "bíblia" das propostas de Sade: já no seu primeiro romance, portanto, o marquês apresenta toda a base sobre a qual edificará sua imensa obra. Mais do que isso, porém, a própria estrutura do texto evidencia uma forma de ordenação que, além de estratégia literária, constitui-se também como fundamento do sistema de libertinagem por ele enunciado.

Sabemos no que consiste a "narrativa mais impura já escrita desde que o mundo existe": quatro libertinos — os maiores e mais experientes devassos da

[1] Sade, *Les 120 journées de Sodome*, in *Œeuvres Complètes*, tomo I, op. cit., pp. 78-9.

França setecentista — associam-se para levar a termo o projeto de conhecer, representar e praticar "todas as paixões que existem na face da Terra". Para tanto, eles se deslocam para o longínquo castelo de Silling acompanhados de uma seleta comitiva, da qual fazem parte quatro prostitutas dos mais famosos bordéis de Paris, encarregadas de narrar a maior variedade de crimes jamais conhecida. O séquito inclui ainda outros 32 súditos, compondo uma diversidade de tipos humanos que vai dos mais belos e castos adolescentes a velhas doentes e de aspecto repugnante. Contando com as cozinheiras e outras jovens ligadas aos quatro amigos por parentesco estreito, a comitiva soma 46 pessoas.

A estadia no castelo é concebida com rigor, obedecendo a estatutos e protocolos. Os 120 dias ali passados organizam-se segundo um meticuloso princípio de progressão, de que se vale Sade para apresentar ao leitor a cifra de seiscentas paixões, compondo uma seqüência sistemática da qual decorre justamente a idéia de "antologia dos gostos". Numa notável associação, o autor qualifica seu romance como a "história de um magnífico banquete" em que seiscentos pratos diferentes oferecem-se ao paladar de seus convidados.

A metáfora do banquete é de certo pertinente, sobretudo por propor uma intensa rede de relações entre o excesso e o detalhe. As suntuosas refeições palacianas — sempre incluídas no cardápio dos deleites libertinos — organizam-se a partir de rigorosa combinação entre a abundância dos serviços e a delicadeza dos pratos[2]. Assim, da mesma forma como o banquete harmoniza o refinamento do pormenor gastronômico e as prodigiosas quantidades de alimentos colocadas à disposição de seus convivas, a libertinagem de Sade opera uma síntese entre medida e desmedida.

Ainda na Introdução das *120 journées*, ao apresentar sua antologia o marquês adverte mais uma vez o leitor:

> Estude com cuidado a paixão que à primeira vista parece assemelhar-se completamente a outra e verá que, por menor que seja, existe uma diferença, e nela residem precisamente este refinamento e este toque que distinguem e caracterizam o gênero de libertinagem sobre o qual se discorre aqui.[3]

Ora, é justamente nessa tópica do refinamento que o sistema sadiano revela sua particularidade: lançando mão do princípio da progressão, Sade procede a uma organização do prazer que lhe permite harmonizar as

---

[2] Desenvolvi o tema em *Sade — a felicidade libertina*. Rio de Janeiro, Imago, 1994, capítulo 4, "O banquete".
[3] Eliane Robert Moraes, *Sade — a felicidade libertina*, op. cit., pp. 78-79.

"extravagâncias da luxúria" e a diversidade dos detalhes, ampliando as possibilidades da libertinagem.

Esse procedimento assume caráter exemplar na Sociedade dos Amigos do Crime, uma confraria dedicada exclusivamente aos "encantos do deboche", cuja descrição encontra-se em *Histoire de Juliette*, romance que narra, também de forma lenta e progressiva, a ascensão da personagem na carreira da libertinagem. No percurso ascendente de Juliette, destaca-se sua admissão nesse clube secreto, efetivada somente depois de a libertina submeter-se a uma série de provas com todos os protocolos que tal processo exige, como num ritual de iniciação.

Tudo começa com a apresentação dos estatutos da casa, partindo de uma advertência sobre o próprio nome da associação: "A Sociedade só se serve convencionalmente da palavra *crime*, mas declara não designar assim nenhuma espécie de ação, seja qual for". Pelo contrário, plenamente convencida de que os homens são escravos das leis da natureza, a sociedade — "filha da Natureza" — aprova, legitima e considera como seus mais zelosos membros todas aqueles que se entregarem ao maior número possível "dessas ações vigorosas que os imbecis denominam crimes", estando mesmo persuadida de que "só a resistência a tais ações é que poderia ser verdadeiramente chamada crime aos olhos da natureza"[4].

Seguem-se inúmeros artigos que, de uma forma geral, explicitam o que a Sociedade entende por "ações vigorosas". Entre tais preceitos estão o desprezo absoluto pela religião, a ostentação do ateísmo, o abandono total do cumprimento das leis sociais — especialmente aquelas que se referem ao tabu do incesto — e, sobretudo, a prática sistemática de todos os crimes, como reza o quadragésimo artigo: "O ócio, a liberdade, a impiedade, a crápula, todos os excessos da libertinagem, do deboche, da gula, de tudo aquilo que — em uma só palavra — se chama sujeira da luxúria, reinarão soberanamente nessa assembléia"[5]. Como conseqüência, o suplício, a tortura, o roubo e o assassinato são efetivamente incentivados, e os membros que deixarem de observar essa regra serão sumariamente afastados da associação.

Passados os protocolos de apresentação, Juliette é desnudada e exposta aos olhos de todos os membros da Sociedade. Nessa condição, ela se submete ainda a um interrogatório diante da assembléia, num longo ato que termina com a libertina jurando "viver eternamente nos maiores excessos da libertinagem", isto é, "praticar todas as ações luxuriantes, mesmo as mais execráveis". Segue-se então uma orgia,

[4] Sade, *Histoire de Juliette*, in *Œeuvres Complètes*, tomo VIII, op. cit., p. 439.
[5] Idem, ibidem, p. 445.

que tem a neófita como centro das atenções lúbricas dos convivas: nesse momento, Juliette abandona-se a todo tipo de volúpia com os quatrocentos membros da Sociedade. Acompanhemos sua descrição:

> Posso dizer que vi todos os quadros que a mais lasciva imaginação não poderia conceber em menos de vinte anos; ah! quantas posições voluptuosas... quantos caprichos extravagantes... quanta variedade de gostos e inclinações! Oh, Deus!, disse a mim mesma: como a natureza é bela e como são deliciosas as paixões que nos oferece! Mas algo extraordinário que eu não deixava de notar é que, com exceção das palavras necessárias aos atos libertinos, os gritos de prazer e muitas blasfêmias, podia-se ouvir o vôo de uma mosca. A maior ordem reinava no meio de tudo isso. As ações mais decentes não se fariam com maior calma. E, por essa circunstância, pude me convencer facilmente de que o que o homem mais respeita no mundo são suas paixões.[6]

Reencontramos nessa passagem a importante tópica sadiana que poderíamos chamar de "a ordem da desordem". Sem dúvida, a cena descrita por Juliette coloca o leitor diante de um paradoxo: como é possível que, numa orgia entre quatrocentas pessoas, das mais lascivas que existem na face do universo, possa reinar a mais completa ordem? O que faz com que um local destinado à prática sistemática de todos os excessos deva ser tão silencioso a ponto de nele poder-se ouvir o vôo de uma mosca? E mais: que razões concorrem para que uma tal ordenação do desregramento se torne fundamental para o funcionamento do sistema sadiano?

* * *

Para responder a essas questões, é necessário lançar mão de pelo menos duas chaves de interpretação. A primeira delas encontra-se na história do Ancien Régime ou, mais precisamente, nas práticas da libertinagem testemunhadas no decorrer do século XVIII. Isso porque a noção de organização do prazer — ou de ordem da desordem — não está inscrita apenas nos textos de Sade, mas se faz presente de forma decisiva na experiência erótica de muitos de seus contemporâneos. Vejamos.

Ao tomar conhecimento dessas passagens de *Histoire de Juliette*, o leitor certamente se surpreende com a idéia de um clube clandestino dedicado aos excessos do deboche, creditando-a por completo à imaginação do autor. Contudo, o texto sadiano passa a exigir uma nova leitura quando cotejado com a história da

[6] Sade, *Histoire de Juliette*, in *Œuvres Complètes*, tomo VIII, op. cit., p. 458.

libertinagem setecentista e a descoberta de que, no decorrer do período, existiram, de fato, inúmeras sociedades secretas destinadas ao prazer. Isso não significa que essas associações levavam a termo a mesma ordem de práticas que Sade descreverá, na sua literatura; mas, sem dúvida, elas apontam para um tipo de sensibilidade com o qual a ficção sadiana mantém intensa relação.

Thomas de Quincey, em *Do assassinato como uma das belas-artes*[7], indica a existência de diversos clubes desse tipo na Inglaterra: a Sociedade para a Promoção do Vício, o Clube do Fogo no Inferno ou a Sociedade para a Supressão da Virtude. Se, a princípio, essas organizações parecem ser tão fictícias quanto a Sociedade dos *Connaisseurs* em Assassinato, cujas conferências De Quincey apresenta em seu livro, os registros do período vêm provar o contrário. Essas entidades existiram de fato, e, segundo os historiadores, eram freqüentadas por alguns dos homens mais célebres da passagem do século XVIII para o XIX.

A famosa Sociedade para a Supressão da Virtude deve ter sido criada como reação à Sociedade para a Supressão do Vício, entidade fundada em 1802 por um membro evangélico do Parlamento inglês, que atuou combativamente durante décadas e obteve razoável êxito em seus propósitos. O Clube do Fogo no Inferno, também conhecido como "mosteiro de Medmenham", era anfitrionado pelo excêntrico sir Francis Dashwood, aristocrata culto e devasso, que reunia seus "monges" pelo menos uma vez por semana. Os encontros destinavam-se à "sagrada leitura" de livros obscenos, especialmente aqueles proibidos pela rigorosa censura britânica e condenados à fogueira. Atividade semelhante era realizada pela Antiquíssima e Poderosíssima Ordem de Bênção e Recreio dos Mendigos, outra confraria de libertinos que, durante mais de cem anos (de 1732 a 1836), reuniu seus membros em saraus eróticos voltados para "leituras encenadas" de textos licenciosos.

Entre os títulos que figuravam no índex das obras imorais apreciadas por esses "espíritos livres" encontravam-se o *Almanaque do homem libertino* e o *Guia Harris das damas*, verdadeiros catálogos sobre a prostituição londrina que, freqüentemente renovados, circulavam durante muito tempo pelas mãos dos rebentos mais tradicionais da aristocracia britânica. Em 1779, o próprio sir Francis Dashwood publicou clandestinamente um guia satírico dos antros noturnos de Londres, atribuindo sua autoria a um "monge da Ordem de São Francisco". O título da obra não deixa dúvidas a respeito dos gostos desses experts: *Divertimentos*

[7] Thomas de Quincey. *Do assassinato como uma das belas-artes*. Porto Alegre, L&PM, 1985.

noturnos: ou a história de King's Place e outros conventilhos modernos, contendo seus mistérios, devoções e sacrifícios — compreendendo também o estado antigo e atual da vida galante promíscua: com os retratos das mais célebres mulheres da vida e cortesãs deste período[8].

É, porém, na França setecentista que as associações libertinas — também chamadas de "templos do amor" — surgiram em maior número e com maior vigor. Essas confrarias têm ligação direta com a franco-maçonaria, fundada na Inglaterra na virada do século XVII para o XVIII, chegando na França por volta de 1720. Sendo a maçonaria uma sociedade secreta restrita aos homens, muitos de seus membros acabaram por se rebelar contra essa restrição: já em 1736 o magistrado Bertin de Rocheret redigiu uma *Apologia da antiga, nobre e venerável sociedade dos franco-maçons sobre o belo sexo*, recomendando a criação de ordens mistas. Sua proposta expressava bem mais do que um desejo particular.

Segundo os historiadores, havia mais de cem "sociedades de amor" à disposição dos contemporâneos do marquês de Sade, e duas delas ficaram particularmente conhecidas na época: a Ordem da Felicidade e a Ordem Hermafrodita. Uma *Apologia dos clubes galantes*, escrita por um entusiasta, conta que essas ordens eram

> compostas de cavalheiros e damas, representando exatamente o contrário da franco-maçonaria, pois, ao invés de assustar os recém-chegados com provas um tanto rigorosas, esses clubes acolhiam os novos membros da forma mais agradável possível, lançando-os a todo tipo de prazeres. A Ordem da Felicidade se esforçava ao máximo para merecer seu nome.

Esforço esse que um comissário de polícia registrou numa nota de 1744, com agudo poder de síntese: "Cinco ou seis senhores manifestaram o desejo de filiar certas dançarinas do Ópera a uma tal Ordem da Felicidade, cujo segredo consiste em três coisas: beber bem, comer bem etc."[9].

A Ordem da Felicidade dedicava-se "exclusivamente à galantearia, talvez um pouco erótica, mas sem excessiva licenciosidade", enquanto a Ordem Hermafrodita apresentava-se como "sociedade devotada à realização de santas orgias e a todas as formas de deboche". Há, contudo, notáveis semelhanças entre ambas, o que nos

---

[8] Cf. Alan H. Walton, introdução e notas a *Justine, or the misfortunes of virtue*, Londres, Corgi Books, 1964; Peter Wagner, apresentação e notas a *Fanny Hill – memórias de uma mulher de prazer*, São Paulo, Estação Liberdade, 1989; Montgomery Hyde, *História de la pornografia*, Buenos Aires, Pléyade, 1973, pp. 190-95.

[9] Cf. J.-L. Quoi-Bodin, "Autour de deux sociétés secrètes libertines sous Louis XV: L'Ordre de la Felicité et L'Ordre Hermaphrodite". *Revue Historique*, n. 559, Paris, PUF, jul.-set. 1986. As descrições das duas sociedades secretas francesas neste texto baseiam-se neste artigo histórico.

possibilita imaginar as atividades a que se entregavam os libertinos do Ancien Régime. O segredo e a clandestinidade desempenhavam o importante papel de incitar a imaginação para aprimorar os requintes dessa aventura.

Escondendo seus escândalos sob um vocabulário secreto, formado por termos da marinha, essas sociedades sustentavam que seu objetivo último era alcançar a "Ilha da Felicidade", lugar paradisíaco onde aportavam "esquadras" compostas de "navios" (homens) e "fragatas" (mulheres). Essa ilha era associada ao próprio Éden, perdido na origem dos tempos, quando o homem transgrediu as leis divinas, e enfim reconquistado "depois de tantos séculos de trabalho para expiar o crime de nossos antepassados". Assim, todos concordavam que "o primeiro cavalheiro da Ordem foi Adão, e a primeira dama, Eva".

Os aspirantes eram submetidos a "provas de navegação" antes de abordar a maravilhosa ilha. Para isso, era fornecido aos novos marinheiros um minucioso formulário informando os requintes exigidos pelo "Cerimonial de Navegação", embora se esperasse que já tivessem freqüentado alguma "Escola de Marinha" (bordel). O domínio do jargão marítimo tornava-se essencial para o bom desempenho desses libertinos.

A palavra *mar*, designando o amor, deixava claro que os viajantes não estavam protegidos das turbulências e das incertezas que caracterizam as aventuras perigosas. Por essa razão, o marinheiro deveria estar sempre atento e proceder a um número certo de "manobras" até chegar ao "porto seguro", em outras palavras, alcançar o objeto desejado. Os pilotos eram alertados sobre os perigos de "navegar contra o vento", quando se tornava inevitável "forçar a vela", correndo ainda o risco de "cabotar". Em caso de "bruma" (ciúme), não sendo possível um "reboque" (conquista), o melhor a fazer era "virar de bordo" e tentar outro "embarque". Mas, uma vez ancorado no porto, com o "bota-fogo" em mãos, o piloto podia enfim "soltar o leme" e deixá-lo agir livremente...

Essas descrições talvez já sejam suficientes para indicar a que níveis chegava a organização do prazer entre os libertinos do século XVIII. Acreditando que a ritualização das práticas eróticas contribuía para a ampliação dos prazeres, as sociedades de amor fundavam-se sobre um princípio de ordenação gradativa das atividades lúbricas. A própria idéia de associação ou de clube aponta claramente para a observância de regras e de protocolos que, nesse caso, evidencia-se no emprego de um jargão específico.

Tal capítulo da história da libertinagem confirma que o texto de Sade trama relações estreitas com a sensibilidade vivida por seus contemporâneos. A Sociedade dos Amigos do Crime representa, assim, uma recriação literária de fatos históricos

— procedimento que o marquês reivindica inúmeras vezes ao longo de sua obra. Ainda que se coloque ao lado da ficção, Sade recorre insistentemente a exemplos da história, muitas vezes retirados de sua época: é o caso, por exemplo, da alusão em *Justine* à Ordre de Cythère — clube clandestino da primeira metade do século XVIII em Paris —, ou, em *La philosophie dans le boudoir*, ao duque de Charolais — conhecido libertino da corte francesa, na época do regente Philippe d'Orleans. Vale lembrar ainda que as quatro prostitutas encarregadas de relatar as seiscentas paixões das *120 journées* são denominadas precisamente de "historiadoras".

* * *

Se o tema da ordenação do prazer encontra seus fundamentos na história setecentista, a relevância que adquire na ficção sadiana não se esgota nessas matrizes. Para compreender seu papel na libertinagem de Sade, é necessário explorarmos a lógica interior desse sistema, motivada por um princípio complexo e paradoxal: se, de um lado, o universo do deboche é regrado e limpo, de outro, seus habitantes só acedem à sensualidade por meio do caos e da sujeira.

As cenas sadianas obedecem a um sistema ritual com regras cujo rigor é proporcional a seu rompimento futuro. A ordem da libertinagem, a princípio, parece ser instaurada apenas para ser pervertida: nos textos de Sade, como observa Noelle Châtelet, "a beleza das vítimas, a elegância das vestimentas, o refinamento da mesa, só existem para serem maculados, espezinhados, devastados"[10]. Contudo, não devemos ver aí apenas a simples alternância entre ordem e desordem: a prática e o discurso do deboche recusam a exclusividade desse movimento pendular, indicando uma simultaneidade de ações que se revela numa singular convivência entre a regra e o caos.

Para fundamentar tal paradoxo, Sade lança mão das teses filosóficas dos "naturalistas modernos", tão em voga entre os enciclopedistas[11]. Considerando o crime um "agente do equilíbrio", cujas forças destrutivas desempenham papel fundamental junto às forças criadoras na manutenção da economia do universo, o devasso sadiano acredita que

---

[10] Noëlle Châtelet, "Le libertin à table", in *Sade: écrire la crise*, Michel Camus e Philippe Roger (orgs.), op. cit., p. 72.

[11] Sobre as relações do pensamento de Sade com a filosofia biológica do século XVIII, ver Annie Le Brun, *Soudain un bloc d'abîme. Sade*, op. cit., primeira parte, capítulos II e III; Jean Deprun, "Sade et la philosophie biologique de son temps", in *Le marquis de Sade*, Paris, Armand Colin, 1968; e Luiz Roberto Monzani, *Desejo e prazer na idade moderna*, Campinas, Editora da Unicamp, 1995.

> um mundo totalmente virtuoso não conseguiria subsistir um minuto: a sábia mão da natureza fez nascer a ordem da desordem, e sem desordem ela não chegaria a nada: tal é o equilíbrio profundo que mantém o curso dos astros, sustentando-os nas imensas planícies do espaço, produzindo seu movimento periódico.[12]

Disso resulta outro princípio fundamental do sistema de Sade: a equivalência entre criação e destruição. O sacrificador, diz um personagem da *Nouvelle Justine*, seja qual for o objeto que aniquila, não comete maior crueldade que o proprietário de uma granja que mata seu porco. O argumento é reiterado pelo papa libertino de *Juliette*, ao afirmar que um pai, um irmão ou um amigo não é, aos olhos da natureza, mais caro nem mais precioso do que o último verme que rasteja na superfície do globo. "Ora", argumenta Dolmancé no discurso de *La philosophie dans le boudoir*,

> o homem custa alguma coisa para a natureza? E, supondo que possa custar, custa mais que um macaco ou que um elefante? Vou além: quais são as matérias-primas da natureza? De que se compõem os seres que nascem? Os três elementos que os formam não resultam da primitiva destruição de outros corpos? Se todos fossem eternos, não se tornaria impossível à natureza a criação de novos indivíduos? Se a eternidade dos seres é impossível à natureza, sua destruição é por conseqüência uma de suas leis.[13]

A natureza, continua o libertino, nada poderia criar se não se valesse dessas "massas de destruição" que a morte lhe prepara: o que chamamos de

> fim da vida animal não é um fim real, mas simples transmutação, que tem por base o perpétuo movimento, essência verdadeira da matéria, que todos os filósofos modernos consideram como uma de suas primeiras leis. A morte, segundo esses princípios irrefutáveis, representa tão-somente uma transformação, uma passagem imperceptível de uma existência a outra...[14]

E o crime, por conseguinte, nada mais é que a manutenção do equilíbrio da ordem natural.

Há, portanto, uma importante noção de equilíbrio orientando o sistema libertino, que concebe pólos antagônicos apenas como efeitos de um profundo jogo de proporções, sem o qual o universo não poderia ao menos existir. As teses sobre as "modificações da matéria", as "transformações de um estado em outro",

---

[12] Sade, *Histoire de Juliette*, in *Œuvres Complètes*, op. cit., p. 206.
[13] Sade, *La philosophie dans le boudoir*, op. cit., p. 526.
[14] Idem, ibidem, pp. 526-27.

o "eterno princípio do movimento" e outras máximas da filosofia biológica do século XVIII permitem ao devasso concluir que, se ordem e desordem se contêm mutuamente, o crime equivale à virtude. Daí também o argumento de que mesmo o mais desregrado excesso pode ser objeto de ordenação.

A particularidade do personagem sadiano, contudo, está no fato de ele não submeter jamais esse controle aos parâmetros sociais da moral, colocando-o unicamente a serviço das volúpias do vício. Isso permite ao devasso observar regras sem obedecer àss exigências da moderação, mas também entregar-se ao desregramento observando normas. Não há atividade do deboche que não seja, durante seu curso, orientada: Roger Vailland identifica o libertino com um *metteur en scène*, a aplicar um rigor sempre progressivo à pesquisa do prazer; Barthes associa-o a um mestre-de-cerimônias, comparando-o ainda a um maestro que dirige seus companheiros tocando ao lado deles. As orgias são sempre comandadas e calculadas, submetendo-se a sucessivas reordenações, como se não fosse possível confiar apenas no acaso para garantir a manutenção do crime entre amigos.

Através da gradação da volúpia, a ordem produz a desordem, assegurando o delicado equilíbrio entre satisfação e insaciedade no mundo do deboche. É justamente nesse particular que se distingue o gênero de libertinagem sobre o qual Sade discorre: na prodigiosa variedade de crimes que ele oferece ao leitor, aquilo que os não-iniciados podem considerar insignificante constitui-se no autêntico "requinte do vício" para os verdadeiros libertinos. Assim, no sistema sadiano a ordem funciona efetivamente como produtora do excesso.

A organização do prazer permitirá, portanto, a plena realização do erotismo — ao mesmo tempo refinado e excessivo — dos devassos, subordinando sua insaciedade ao detalhe.

Mas, ao descrever lenta e minuciosamente a progressão das diferenças do crime, o marquês garante não só a coerência de seus personagens: explica também a lógica que determina a conduta dos libertinos setecentistas, ao mesmo tempo em que coloca à prova as teses naturalistas dos filósofos de sua época. Com isso, Sade oferece a seu leitor o privilégio de testemunhar um desses raros momentos do pensamento em que uma dimensão histórica e um princípio filosófico ganham expressão na literatura.

A CIFRA E O CORPO: AS CARTAS DE PRISÃO DO MARQUÊS DE SADE

Para um prisioneiro, talvez mais do que para qualquer outro homem, as cartas se rendem forçosamente ao seu sentido primeiro: o de abolir distâncias. Para um prisioneiro como Sade, que ignorava por completo a extensão de sua pena, esse sentido foi imperioso: nas celas solitárias das prisões onde esteve confinado entre 1777 e 1790, a correspondência tornou-se sua única possibilidade de comunicação com o mundo. Ao longo dos treze anos que comporiam sua primeira reclusão ininterrupta, na prisão de Vincennes, o marquês afirmou com tal intensidade o desejo de "abolir distâncias" que acabou por transformá-lo num princípio soberano de sua literatura. É o que testemunham suas cartas da prisão.

A detenção de Sade foi executada por meio de uma *lettre de cachet*, isto é, uma ordem assinada pelo rei, que autorizava capturas sem observar a exigência de julgamento em tribunal. Esse era um expediente ao qual lançavam mão as famílias influentes quando desejavam se ver livres de algum membro considerado inoportuno, como era o caso do libertino marquês aos olhos de sua poderosa sogra. Capturado em 1777, Sade foi encarcerado na fortaleza de Vincennes, onde viveu cerca de seis anos; transferido para a Bastilha em 1784, lá ficou até as vésperas da Revolução, tendo sido transportado às pressas para o sanatório de Charenton; só veio a recuperar a liberdade em 1790, aos cinqüenta anos de idade, em virtude de um decreto da Assembléia Nacional que anulava as ordens régias de prisão.

A correspondência de Sade era submetida a severo controle nos anos de detenção: antes de serem enviadas, suas cartas eram censuradas por um comissário de polícia encarregado de copiá-las, expurgando as passagens que julgasse inaceitáveis. Consciente disso, o marquês desenvolveu um sistema de escrita secreta por meio do qual buscava uma comunicação direta com seus correspondentes. Entre esses artifícios — que passavam pela linguagem cifrada, por alusões, subentendidos, expressões dúbias, trocas de nomes etc. — destaca-se um misterioso código ao qual ele aludia como «sinais», cuja decifração ocupava grande parte de seu tempo.

As "cartas com sinais" tinham como pressuposto um sistema de dedução baseado em cálculos um tanto obscuros. Assim, na primavera de 1782, em resposta à sua mulher, Sade dizia ter finalmente adivinhado "o odioso enigma" de uma carta que apontava o dia 7 de fevereiro como data de sua libertação e que, secretamente, denunciava a infidelidade de Renée Pélagie com Lefèvre, um antigo secretário da família. Para tanto, ele concluía que

> o detestável e imbecil jogo de palavras reside no nome do santo desse dia, que é Saint-Amand, e como em fevereiro se encontra Fevre, vós haveis ligado o nome desse libertino às cifras 5 e 7. Daí vosso jogo de palavras, tão vulgar quanto idiota, que ao indicar minha saída ao cabo de 5 anos (ou 57 meses), no dia de Saint-Amand, 7 de fevereiro, mostra que Lefèvre ligado ao 7 e ao 5 foi vosso amante.[1]

Passagens como essa, que aos olhos do leitor carecem de sentido, encerravam para Sade uma misteriosa coerência que, uma vez desvendada, seria capaz de lhe revelar o que se passava fora do universo carcerário. Ou, melhor ainda, de lhe informar sobre toda sorte de traições e conspirações que visavam, em última instância, a sua permanência na prisão. Obcecado por essa idéia, o marquês realizava as mais estranhas operações matemáticas para interpretar as cartas que recebia, menos interessado em seu conteúdo do que no número de linhas, de sílabas, de termos repetidos e até mesmo nas relações entre o som de uma palavra e de um número.

O empenho obsessivo de Sade em decifrar esses sinais representava, sem dúvida, uma estratégia mental do prisioneiro para suportar a solidão do cárcere. Seus biógrafos o confirmam: Gilbert Lély interpreta essa «psicose de cifras» como «uma espécie de reação de defesa de seu psiquismo, uma luta contra o desespero no qual sua razão poderia submergir sem o socorro de um tal derivativo»; Jean-Jacques Pauvert vai além ao sugerir que a obsessão de Sade pelos cálculos devia-se ao fato de ele estar "privado dos deboches físicos", sendo obrigado a transferir para o

[1] Sade, *Lettres à sa femme*, Paris, Babel, 1997, p. 315. Vale lembrar que o jogo de palavras entre *février* (fevereiro) e *Fèvre* perde seu sentido quando traduzido para o português.

plano mental o furor de seu apetite sexual[2]. Com efeito, já em 1778, o próprio marquês perguntava, numa carta a Renée Pélagie: "O que queres que eu faça aqui, senão cálculos e produções de quimeras?"[3].

Ora, ao analisar a correspondência de Sade, torna-se difícil concordar com o caráter categórico dessa questão. Ainda que a longa detenção do autor de *Justine* esteja efetivamente marcada pelos cálculos delirantes de seu epistolário e pela hiperbólica produção de quimeras de sua ficção, suas preocupações no período não se restringiam ao domínio da vida mental. Pelo contrário, essas cartas revelam também um homem profundamente preocupado com a satisfação de suas necessidades físicas. E, apesar das condições desfavoráveis em que se encontrava, ainda bastante atento às particularidades de seus gostos sensuais.

Embora relatasse a vida na prisão de forma sucinta — sobretudo se considerarmos a fabulosa extensão de sua correspondência —, Sade era bastante minucioso quando se referia aos seus artigos de uso pessoal. As descrições dos objetos particulares que ele solicitava com freqüência a Renée Pélagie compõem longas passagens das cartas, precisando exatamente os desejos do marquês. Nessas listas, a imensa variedade das encomendas submete-se por completo ao detalhe: tratava-se de encontrar "uma jaqueta de fundo verde bordada em seda", ou "um colchão de crina bem nova e fina", ou ainda "uma pequena e bela capa com motivos de porcelana indiana ou amarela e branca" para revestir a cama de sua cela. Entre tais pedidos, destacam-se em especial as guloseimas, cujas descrições faziam o marquês investir ainda mais nos pormenores.

Lê-se numa carta de 16 de maio de 1779:

> O biscoito da Savóia não corresponde em nada àquilo que pedi: 1º eu o queria completamente cristalizado, em cima e embaixo, com o mesmo açúcar empregado nos biscoitos pequenos; 2º eu queria que ele fosse recheado de chocolate, do qual não vejo o menor vestígio; eles o prepararam com extrato de ervas, mas não há a menor suspeita de que tenham usado chocolate. [...] Na próxima remessa, portanto: um biscoito como o que acabei de descrever, seis comuns, seis cristalizados, e dois potes pequenos de manteiga da Bretanha, mas bons e bem escolhidos. Acho que há uma loja especializada nisso em Paris, como é aquela da Provença para o azeite.[4]

No capítulo da culinária os exemplos são realmente abundantes, mas sem jamais deixar de observar o mesmo rigor aplicado nos cálculos aritméticos dos

---

[2] Jean-Jacques Pauvert, *Sade vivant*, tomo II, Paris, Robert Laffond, 1989, pp. 138-39.
[3] Idem, ibidem, p. 63.
[4] Sade, *Lettres à sa femme*, op. cit., p. 102.

sinais. Rigor obsessivo e vertiginoso que levava Sade a compor seus cardápios semanais na prisão com extrema meticulosidade: um almoço, por exemplo, deveria incluir "uma sopa excelente (eu não cansarei de repetir esse item: é preciso que as sopas sejam sempre excelentes, dia e noite)", além de "duas costeletas de vitela empanadas, saborosas e suculentas; um mingau; duas maçãs cozidas". Os jantares, embora mais frugais para evitar as "terríveis insônias e indigestões" das quais ele sempre reclamava, eram objeto da mesma atenção, como confirmam os repetidos pedidos de omeletes, "feitos com apenas dois ovos e com uma manteiga muito fresca"[5].

Descritos com notável precisão, os alimentos e os objetos de uso pessoal remetem imperiosamente ao corpo do marquês; corpo sensual, que insiste na distinção entre matérias, odores, cores, formas, dimensões e gostos, atentando para a satisfação peculiar a cada um dos cinco sentidos. Trata-se, como sublinha Marc Buffat ao analisar essas cartas, "de uma adequação dos objetos ao desejo, ou seja, não somente a uma sensualidade, mas a uma sensualidade satisfeita ou saciada, a uma felicidade física; poderíamos dizer, se a palavra não fosse tão comprometedora, a um gozo"[6].

Essa felicidade sensual, constantemente evocada no epistolário de Sade, tem como contrapartida seus recorrentes testemunhos de sofrimento. De um lado, o desconforto da prisão: a falta de talheres nas refeições, a presença de ratos na cela, a privação dos passeios ao ar livre, a impossibilidade de dormir; de outro, as violentas dores causadas por seus problemas de saúde: a provável tuberculose, a forte infecção na vista que dificultava a leitura e a escrita, e sobretudo as hemorróidas. Para tratar esse "mal inveterado" do qual ele se queixa em toda a correspondência, Sade escreve a sua mulher encomendando "um ungüento de uma força das mais violentas", especificando com exatidão o que desejava: "É preciso que o mercúrio, a terebintina, as cantáridas, e tudo o que possa existir de mais forte, componham a base desse ungüento"[7].

Sensual ou enfermo, a evocar delícias ou suplícios, o corpo do marquês se faz presente com tal intensidade em sua correspondência que acaba por convocar fisicamente o leitor, buscando estabelecer com ele outra forma de cumplicidade. Recurso que, a exemplo das cifras, também pode ser interpretado como estratégia de Sade para travar uma comunicação direta com os correspondentes, mas que, nesse caso, excede o mero domínio mental. Ao impor a presença do corpo no próprio corpo do texto, essas cartas propõem um contato — ao mesmo tempo inequívoco e paradoxal — entre o detento e seus destinatários.

---

[5] Maurice Lever. *Donatien Alphonse François, Marquis de Sade*. Paris, Fayard, 1991, pp. 335, 337.
[6] Marc Buffat, "Préface", in Sade, *Lettres à sa femme*, op. cit., p. 13.
[7] Apud Pauvert, *Sade vivant*, p. 479, n. 1.

Haveria, para um homem enclausurado, forma mais eficaz de abolir distâncias?

Por certo, importa bem menos saber se essa estratégia era consciente ou não por parte de Sade do que sublinhar que ela fornece o modelo que dará forma às estruturas internas de sua obra. Ora, é precisamente nesse primeiro período de reclusão que nasce a literatura sadiana, inaugurada em 1782 pelo *Dialogue entre un prêtre et un moribond*, escrito na prisão de Vincennes, seguido pelo monumental *Les 120 journées de Sodome*, redigido em 1785 na Bastilha. Se esses dois primeiros textos já contêm toda a base sobre a qual o marquês edificará sua imensa obra, eles não deixam de remeter, jamais, ao mesmo corpo-a-corpo com o leitor que a correspondência enseja.

Ao convidar os leitores, já na introdução das *120 journées*, a apreciar seu «cardápio de paixões», Sade deixa claro que seu livro deve tocar os sentidos de quem o lê:

> Trata-se da história de um magnífico banquete — seiscentos pratos diferentes se oferecem ao teu apetite: vais comê-los todos? Não, seguramente não, mas esta prodigiosa variedade alarga os limites da tua escolha e, extasiado com a ampliação das possibilidades, certamente não te queixarás do anfitrião que te regala. Escolhe e deixa o resto, sem reclamar contra este resto simplesmente por não te agradar.[8]

Passagem exemplar, na medida em que supõe a participação sensual do leitor, o que é reiterado tanto nas inúmeras orgias sexuais encenadas no decorrer da narrativa quanto nos minuciosos relatos das orgias gastronômicas de seus personagens. Às refeições libertinas nunca faltam as mais requintadas iguarias e os mais raros vinhos, sempre referidos com o mesmo rigor de detalhes que acabam por repercutir no corpo do leitor, fazendo dele um cúmplice[9]. Desnecessário lembrar que, também aqui, às descrições das delícias sucedem as dos suplícios, relatados num nível de minúcia cuja repercussão física, no ato da leitura, certamente não é menos intensa.

Todavia, se a literatura sadiana empenha-se em abolir as distâncias entre autor e leitor, seu projeto não se limita a buscar uma comunicação dos corpos. Pelo contrário: a exemplo da correspondência, a ficção do marquês opera igualmente

[8] Sade, *Les 120 journées de Sodome*, op. cit., p. 79.

[9] Desenvolvi o tema em "O banquete", capítulo 4, in Robert Moraes, *Sade — a felicidade libertina*. É interessante notar que, potencializados pela liberdade ilimitada da ficção, os cardápios descritos por Sade nas *120 journées* não deixam de refletir também seus gostos pessoais, incluindo diversos itens de sua dieta na prisão e dispensando atenção especial às sopas e aos omeletes noturnos. E mais ainda aos doces, biscoitos e chocolates, alimentos onipresentes na mesa libertina e, como vimos, indispensáveis ao paladar do marquês.

com uma prodigiosa quantidade de números, cálculos e cifras, o que faz retornar ao domínio mental dos sinais aritméticos. O que dizer de um livro como as *120 journées*, a começar pelo próprio título? Não é ele organizado em torno de seiscentas paixões que se dividem em quatro classes, cada qual composta de 150 modalidades, relatadas uma a uma? E os 120 dias de libertinagem não obedecem eles a um severo princípio de progressão, no qual cada dia é dedicado a exatamente cinco paixões?

Quanto ao séquito que acompanha os quatro libertinos do romance, compondo 46 pessoas, também ele é todo dividido em rigorosas classes de súditos, aos quais cabem tais ou quais tarefas em horários absolutamente inflexíveis. A essas cifras somem-se outras, indicadas com a mesma exatidão, a precisar desde a quantidade de chicotadas num súdito até as particularidades numéricas das mutilações realizadas no grupo. Enfim, vale lembrar o desconcertante desfecho do livro, que apresenta o sucinto balanço das atividades levadas a termo no castelo de Silling:

Massacrados antes de 12 de março nas primeiras orgias	10
Depois de 12 de março	20
Sobreviventes que regressaram	16
Total	46[10]

A perturbadora aritmética das *120 journées* caminha lado a lado com os mais terríveis desregramentos do corpo, como se cada ato físico pudesse ser calculado, contabilizado, enfim, transfigurado em um sinal. Tal é a radicalidade da "filosofia lúbrica" que Sade propõe em toda a sua literatura, reconciliando a abstração absoluta das cifras com a irredutível imanência do corpo para recusar a milenar separação entre a idéia e a matéria.

Radicalidade que se faz presente já em suas cartas, nas quais a cifra e o corpo operam sempre em parceria, na tentativa desvairada de abolir a mais difícil das distâncias impostas entre um homem e o mundo. Por essa razão, se, como quer Maurice Lever, a correspondência do marquês representa um "solilóquio epistolar único de sua espécie em todas as literaturas"[11], cumpre acrescentar que isso ocorre porque ela prenuncia, com toda a sua violência, o gênio de um escritor cuja imaginação será capaz de conceber uma obra igualmente única em todas as literaturas.

---

[10] Sade, *Les 120 journées de Sodome*, op. cit., p. 449.
[11] Maurice Lever. *Donatien Alphonse François, Marquis de Sade*, op. cit., p. 348.

UM MITO NOTURNO

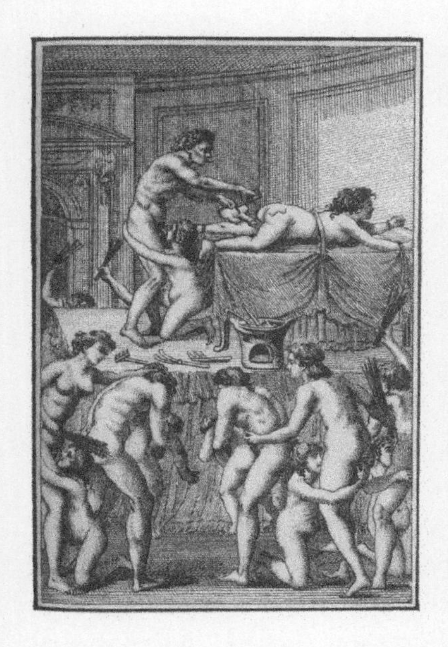

A Revolução Francesa, diz Jean Starobinski, engendrou um "mito solar": imagens diurnas, ostentando o brilho do sol e o amanhecer do dia, invadiram as artes e o pensamento da época, anunciando a vitória das Luzes sobre o obscurantismo do Ancien Régime. Assistia-se ao triunfo da razão Iluminista sobre um passado condenado às trevas. Representação coletiva e consciente, amplamente difundida, a metáfora da luz representa, ao mesmo tempo, uma interpretação (leitura imaginária do momento histórico) e um ato criador (contribuindo para modificar o curso dos acontecimentos e produzir uma nova realidade). "Os franceses tiveram a convicção de que arrasando os abusos e os privilégios, derrubando a pesada citadela do arbitrário que fazia sombra sobre Paris, reconciliando-se na transparência da benevolência universal, eles ofereciam ao mundo um foco de luz, um centro solar."[1]

Exatamente nesse momento, quando as luzes parecem ofuscar o século, um gênero literário absolutamente *sombrio* invade a França e conhece grande popularidade. Trata-se do *roman noir*, conhecido na época como *genre sombre* ou ainda *genre anglais* devido a sua procedência inglesa, que hoje identificamos sob o nome de gênero gótico, e, mais comumente, como "conto de terror".

Comecemos pelos cenários, numa descrição que empresta imagens e expressões contidas nesses livros. Em geral um parque embeleza as cercanias da

[1] Jean Starobinski, *1789 – Les Emblémes de la Raison*, Paris, Flammarion, 1979, p. 33.

habitação senhorial, mas nesta se levanta um miserável bosque de pinheiros, mais altos que muralha nua, de cor eternamente escura, parecendo desprezar a vestimenta da primavera. Ao se penetrar nesses arredores, o céu torna-se repentinamente nublado e uma estranha imobilidade toma conta da atmosfera. Um grande bando de gralhas voa silenciosamente no local. Corvos e gaivotas prenunciam a tempestade. Ao longe se vê, no alto de uma montanha, o hostil e solitário castelo, testemunha muda da desolação.

A sinistra fortaleza comporta longos corredores abobadados que levam a uma sucessão de quartos frios e sem mobília; escadas em caracol que conduzem a interditas torres negras; passagens secretas que dão acesso a subterrâneos ocultos. Velhos esqueletos velam, dessas terríveis profundezas, inconfessáveis segredos do passado. Colunas, capitéis e arcadas escuras emergem do espaço sob formas fugidias. Por detrás delas, cadafalsos e armadilhas. E, invariavelmente, recônditas salas de tortura, vizinhas às celas e aos calabouços, ornadas por instrumentos bizarros e objetos pouco comuns.

O lugar é soturno, noturno. O que se guarda dele é sobretudo a letal atmosfera, apelando enfaticamente aos sentidos: um sinistro barulho de chaves; pesadas portas rangendo nos gonzos; tempestades imprevistas provocando o repentino bater de janelas no pavimento superior. "Uma voz secreta parecia gritar no fundo de mim que algo de estranho me aguardava naquela casa", confidencia um dos habitantes da funesta moradia. Tomados pela vertigem, os hóspedes do castelo são assaltados repentinamente por assombros, calafrios, desmaios, sonambulismo, doenças de etiologia obscura. Uma terrificante solidão apodera-se deles.

Palco de grandes paixões proibidas, traições maquinadas, intrigas mesquinhas, intoleráveis revelações, o lugar servirá também de cenário a perseguições, vinganças e assassinatos. Entre prisioneiros, visitantes clandestinos e habitantes do castelo gótico reconhece-se, sempre, a linda, virtuosa e inocente jovem nele encerrada contra a vontade, o sangüinário e cruel vilão que a persegue implacavelmente, e o valente e impoluto herói, de nascimento nobre, mas geralmente em disfarce humilde, que luta contra tudo e todos para salvar sua amada.

É esse, a rigor, o esqueleto de *O Castelo de Otranto*[2], livro que fornece ao *roman noir* sua certidão de nascimento. Escrito em 1765 por Sir Horace Walpole, erudito medievalista inglês, a obra foi publicada originalmente sob o estranho pseudônimo de Onuphrio Muralto, que afirma, no prefácio à primeira edição, tratar-se da tradução de um manuscrito italiano da Idade Média. *Otranto* será o

---

[2] Horace Walpole. *O Castelo de Otranto*, Alberto Alexandre Martins (trad.). São Paulo, Nova Alexandria, 2002.

grande modelo a inspirar a febre gótica dos anos que antecedem e sucedem a Revolução Francesa, alastrando-se por quase todo o continente europeu; o livro de Walpole será traduzido em vários idiomas, sendo objeto de inúmeras reedições no período.

Conhecemos a fórmula; ela sobrevive até hoje nos filmes de terror e nos contos macabros. Digo fórmula porque os cenários, a atmosfera, os personagens e a trama desses romances repetem-se em todo o gênero. Uma receita, e, ao que tudo indica, infalível. Se tomarmos a passagem do século XVIII para o XIX, veremos que grande parte da produção literária da época contém exatamente os mesmos ingredientes que o livro de Walpole: precisamente isso é que torna os romances de Ann Radcliff, de Matthew Gregory Lewis ou de Charles Robert Maturin, entre outros, extremamente populares junto ao público. A fórmula reaparece também num gótico tardio, o célebre *Drácula*, de Bram Stoker, que deu origem a tantas recriações literárias e cinematográficas no século XX. Vale lembrar, porém, que, talvez justamente por ser uma produção tardia, *Drácula* é um livro que ironiza sutilmente o receituário do *roman noir*, criando situações bizarras e personagens patéticos; ironia declarada que desemboca em fino humor no *Fantasma de Canterville*, de Oscar Wilde[3].

Nos anos que sucedem a Revolução Francesa, entretanto, o gênero sombrio assume um caráter mais grave. Ele é, então, portador de uma verdade que ecoa em seus contemporâneos. Uma verdade que, embora clandestina, é compartilhada por um imenso contigente de autores, grande parte deles anônimos, e de leitores, que conferem ao *roman noir* o estatuto de mito. Com efeito, os estudiosos do gênero também irão lhe atribuir um caráter mítico: o *roman noir*, diz Annie Le Brun, retomando a tese de André Breton, representa uma reflexão sobre os tempos revolucionários, e, no momento em que atinge sua maior popularidade, logo após a Revolução, ele torna-se um grande mito a circular nos subterrâneos do imaginário coletivo, possibilitando à época o pensar sobre si mesma. Mas, neste caso, um "mito noturno"[4].

Vejamos os contornos noturnos dessa época que, ao nível consciente, privilegiava a luz. "A virtude esposa o crime em tempos de anarquia", dirá Saint Just nos tempos do Terror. Restif de la Bretonne perambula pelas ruas de Paris: se

---

[3] Para uma história literária do gênero gótico e seus desdobramentos consultar Howard Phillips Lovecraft. *O horror sobrenatural na literatura*. Rio de Janeiro, Francisco Alves, 1987.

[4] Ver, a esse respeito, o livro de Annie Le Brun. *Les Châteaux de la subversion*. Paris, Pauvert/Garnier, 1982, no qual a autora retoma as teses de André Breton sobre o caráter mítico do gênero gótico.

durante o dia ouvem-se "vivas à liberdade", à noite ele escuta seus contemporâneos clamarem a morte. "Viva a morte", gritam os revolucionários pelas ruas. Restif narra o espetáculo sangrento da morte de uma princesa, a favorita de Maria Antonieta, que, tendo se recusado a dar vivas à nação teve seu ventre retalhado e a cabeça posta em uma lança para ser mostrada à Rainha no Templo[5]. Cometem-se verdadeiras atrocidades; massacres, fuzilamentos, afogamentos em massa. É o liberalismo armado, e sua arma por excelência será a guilhotina; a "santa guilhotina", como dirão muitos. Os girondinos serão executados, depois será a vez de Danton; Marat será apunhalado, depois será a vez de Charlotte Corday... A lista é interminável. O Terror invade a França como uma grande sombra.

Há um gosto mórbido em tudo isso. Em 1791 o abade Morellet sugere, numa assembléia, que se coloque à venda a carne dos guilhotinados, obrigando, por meio de lei, que todo cidadão se abasteça num açougue nacional, pelo menos uma vez por semana, para que se realize "a verdadeira comunhão dos patriotas, a verdadeira eucaristia dos jacobinos".

As cenas de Terror são dignas dos mais pérfidos contos de terror. Só um Sade poderia reivindicar também as letras maiúsculas. Com efeito, diz Jean Fabre, "o sadismo aflora por todos os lados; não lhe faltava senão um marquês de Sade"[6]. Mas há que se diferenciar entre o terror na literatura e aquele que se pratica nas ruas. Conceber o inconcebível é tarefa dos romancistas; cabe aos carrascos, e não a eles, praticar o impraticável.

O *roman noir* reflete a violência muda que ocupa Paris nos anos revolucionários. É um *reflexo* sim, porém, mais do que isso, é sobretudo *reflexão* sobre essa violência que a Revolução instaura sob a máscara de um hedonismo político, que se constrói às expensas do indivíduo, fazendo com que as individualidades sejam tragadas pelo corpo político, pela vontade geral. Em nome do "bem comum" instala-se o Terror. Quem o aplica? Quem é o responsável pelas execuções em massa? A "nação", dirão muitos. Tudo se dilui nessa abstração coletiva.

Encerrando o indivíduo no interior de um castelo sombrio e solitário, o *roman noir* dá voz a essas individualidades constrangidas a não se manifestar publicamente, condenadas ao anonimato e à clandestinidade, e, assim, expõe a

---

[5] Sobre Restif de la Bretonne consultar Sergio Paulo Rouannet. *O espectador noturno*. São Paulo, Companhia das Letras, 1988.

[6] Jean Fabre. "Sade et le roman noir", in *Le Marquis de Sade*, Armand Colin (org.). Paris, Armand Colin, 1968, p. 257.

solidão terrível do indivíduo confrontado consigo mesmo, com sua crueldade, com a criminalidade de cada um. E, ao fazê-lo, revela o lado obscuro da razão revolucionária, desvelando o avesso da história. Talvez nesse momento somente a ficção tivesse a capacidade de refletir sobre o insuportável terror que saltava aos olhos de todos, mas se mascarava, ao nível discursivo, por detrás de belas palavras: liberdade, fraternidade, igualdade... Constrói-se anonimamente outro mito coletivo, que interroga as verdades do "mito solar": uma sombra vem ofuscar a luz.

Sade: não só o discurso excessivo, exaustivo, rigoroso sobre a crueldade, mas, acima de tudo, a apologia daquilo que confere ao crime seu caráter mais particular, mais individual: o gosto. Não há libertinagem que não reivindique o prazer, absolutamente pessoal, da crueldade. Os libertinos sadianos serão radicais na classificação de seus gostos e não poupam esforços para realizá-los. Em Roma, Juliette e seus amigos reúnem-se para executar um plano de destruição, pelo fogo, de vinte e oito hospitais e nove casas de caridade: o incêndio dura oito dias e, a exemplo de Nero, os devassos deleitam-se em assistir ao espetáculo dos terraços de um palácio localizado no alto de uma colina romana. Calculam em mais de vinte mil o número de mortos. Se os massacres em massa inflamam a volúpia libertina, haverá lugar também para a lubricidade das "torturas de gabinete", onde se encontram os imprescindíveis objetos de suplício: agulhas, punhais, alicates, manivelas, chicotes, ferros em brasa, correntes, pistolas. Aí, o que interessa é a morte lenta, o suplício, a agonia.

Sade leva a lógica do *roman noir* ao extremo. Faz o mito transbordar, tornando-o insuportável. Não terá sido por acaso que, embora bastante próximo ao gênero, ele tenha encontrado tanta dificuldade em publicar seus livros; no momento em que uma indústria literária em expansão, voltada para atender o "gosto popular", editava um sem-número de títulos, grande parte dos romances sadianos continuava inédita. Os poucos livros publicados foram alvo de agudas críticas e, não raro, de proibições. Não terá sido por acaso também que, enquanto os consagrados autores do *roman noir* gozavam grande popularidade, Sade escrevia no interior de prisões e de hospícios, onde perderam-se dois terços de sua obra.

Diante da obra de Sade, diz Annie Le Brun, o *roman noir* não passa de um pressentimento, uma pálida luz que deixa entrever o mal. Denunciando os artifícios retóricos da virtude, o marquês ilumina, como nenhum outro contemporâneo seu teve a ousadia de iluminar, as paixões mais tenebrosas do homem, as mais clandestinas, as mais proibidas. E, ao fazê-lo, ele dá voz à violência de cada um, responsabilizando cada indivíduo, e não a "nação", pelo crime cometido, desmascarando, assim, o que está por detrás do republicano sensível e virtuoso: a crueldade e a morte.

"Français, encore un effort si vous voulez être republicains..."[7], é esse o título do mais radical panfleto que circulou nos anos revolucionários. Mais um esforço dos franceses: para realizar a tão proclamada liberdade falta ainda acatar o crime enquanto ação individual e, ainda mais, desautorizar o Estado a praticá-lo. Em Sade, o "monopólio da violência", para utilizarmos a expressão cunhada por Max Weber, é circunscrito unicamente ao indivíduo e interditado ao Estado. Que cada sujeito tenha a ousadia de cometer crueldades pessoais, mas, em contrapartida, que tenha coragem suficiente para condenar os crimes impessoais — assim como ele mesmo fez ao se demitir da seção de Picques, onde foi juiz de acusação entre 1792 e 1793, por se recusar a aplicar penas que considerava "excessivamente rigorosas e desumanas".

Sade diz sim à *vendetta* e não aos tribunais[8]. Aprova toda e qualquer ação criminosa movida por impulsos individuais, mas condena radicalmente o homicídio constitucional, expressão odiosa dos princípios universais e abstratos que orientam também a guerra, essa "ciência da destruição". "Estranha cegueira do homem que publicamente ensina a arte de matar, que recompensa quem nela se destaca e que, entretanto, pune o indivíduo que, por uma razão particular, se desfaz de seu inimigo. Já não é tempo de nos libertarmos desses bárbaros erros?", pergunta Sade, propondo um outro terror[9]. Proposta radical que insinua, nas suas dobras, outra revolução.

---

[7] "Franceses, ainda um esforço se quereis ser republicanos."

[8] A frase é de Simone de Beauvoir em "Faut-il brûler Sade?", in *Privilèges*, Paris, Gallimard, 1955.

[9] Sade, *La Philosophie dans le boudoir*, op. cit., p. 528.

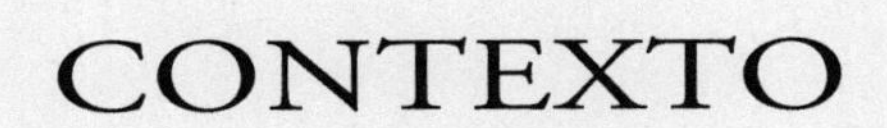

UM LIBERTINO NO SALÃO DOS FILÓSOFOS

Quando o marquês de Sade, na introdução das *120 journées de Sodome*, convida o leitor a apreciar seu cardápio de paixões, associando-o a um magnífico banquete de seiscentos pratos, ele adverte:

> Estude intimamente a paixão que à primeira vista parece assemelhar-se completamente a outra e verá que essa diferença existe e, por menor que seja, ela possui precisamente este refinamento e este toque que distingue e caracteriza o gênero de libertinagem sobre o qual aqui se discorre.[1]

Nesta advertência, há uma importante sugestão que tem passado desapercebida pelos estudiosos da obra sadiana: refiro-me à distinção que o autor faz a um específico "gênero de libertinagem" que é objeto de sua reflexão. Tal distinção, pouco notada (normalmente identificamos a obra de Sade a uma libertinagem genérica, sem precisar diferenças), é retomada em diversas passagens de seus livros.

Uma abordagem inicial ao tema pode ser feita a partir da indicação do "refinamento" que particulariza este gênero do deboche. Neste sentido, ele viria se contrapor a outros, menos refinados, o que nos faz, de imediato, lembrar as críticas do marquês a Restif de la Bretonne. Lê-se em "Idée sur les romans":

[1] Sade, *Les 120 journées de Sodome*, op. cit., p. 79.

> R[estif] inunda o público; faz-lhe falta uma máquina impressora à cabeceira da cama; felizmente apenas ela gemerá diante de suas terríveis produções; um estilo baixo e rastejante, aventuras repugnantes, sempre extraídas da pior companhia; nenhum outro mérito, enfim, que o de uma prolixidade... que só os vendedores de pimenta lhe agradecerão.[2]

Nenhum refinamento, portanto, o aristocrático e erudito marquês reconhece no plebeu Restif, marcando de forma bastante clara sua distância com o tipo de literatura produzida por este. Já em 1783, antes mesmo de escrever seu primeiro romance, encarcerado em Vincennes, Sade envia uma carta à marquesa encomendando-lhe alguns livros, e adverte: "Sobretudo não compreis nada de Restif, pelo nome de Deus! É um autor da Pont-Neuf e da Biblioteca azul, de quem seria estranho que imaginásseis enviar-me qualquer coisa"[3].

A hostilidade não é unilateral. E, se as palavras de Sade podem sugerir apenas uma avaliação estritamente literária, as críticas de Restif ao autor de *Justine* mostram que estão mesmo em jogo diferentes concepções de libertinagem: "Ninguém ficou mais indignado que eu com as obras do infame Sade", dirá ele no prefácio a *l'Anti-Justine*, observando que seu objetivo

> é fazer um livro mais saboroso que os seus, e que as esposas possam dar a ler a seus maridos, para serem mais bem servidas; um livro em que os sentidos falem ao coração; em que a libertinagem nada tenha de cruel para o sexo das Graças (...); em que o amor retornado à natureza, isento de escrúpulos e preconceitos, só apresente imagens risonhas e voluptuosas.[4]

Diferentes naturezas, diferentes volúpias libertinas.

É certo que, ao precisar o "gênero" de sua preferência, nas *120 journées*, Sade não está referindo-se a Restif — ou, pelo menos, não somente a ele —, mas sugerindo que, na diversidade de formas assumidas pelo deboche, há uma por ele considerada superior. A indicação é complexa, sobretudo se perguntarmos com quem Sade está dialogando, pois sabemos que, além de ter sido libertino, ele pretendeu criar um sistema filosófico com sua obra literária, discutindo com outros homens de letras e filósofos de sua época. Isso nos coloca de imediato diversas questões: que sentidos tem a libertinagem

---

[2] Sade, "Idée sur les romans", in *Les crimes de l'amour*, op. cit., 72.

[3] Carta à marquesa de Sade, datada de 24 de novembro de 1783, citada por Lély, *Vie du marquis de Sade*, tomo II, p. 231.

[4] Citado por Lély, ibidem, pp. 531-32.

no século XVIII? Quais são seus autores? Como ela é vivida e representada por cada um deles? Que tipo de diferenças viabiliza sua classificação em diversos gêneros? Que tipo de regularidades faz com que se possa utilizar uma mesma palavra para defini-la?

Para responder a essas questões é necessário investigar como se organiza a libertinagem setecentista nos campos em que ela ganha expressão, a saber, a história, a literatura e a filosofia.

Antecedentes: vestígios da libertinagem

A história da libertinagem remonta ao século XVI, na época já marcada pela rebeldia. Suas primeiras manifestações coincidem com o surgimento, em vários pontos da Europa, de novas correntes culturais e políticas que vêm ameaçar a hegemonia da história sacra tradicional. Desafiando a ortodoxia "barroca" e criando modelos alternativos que impregnam a cultura popular da época, esses movimentos de resistência propõem a retomada de alguns ideais "renascentistas", fazendo circular subterraneamente os valores da pólis italiana sob nova roupagem. Alguns grupos voltam-se, com especial interesse, para o laicismo pagão de Maquiavel e Guicciardino, enquanto outros vêem na irônica moral dos personagens de Boccaccio um convite à insubmissão. Os mais radicais representantes dessas correntes serão chamados de rebeldes ou libertinos[5].

É nessa linhagem que podemos pensar o movimento literário que surge na França, na passagem do século XVI para o XVII. Paul Hazard, René Pintard e, posteriormente, Claude Reichler indicam que essa literatura, vinculada inicialmente à poesia burlesca, tem seus primeiros representantes em Théophile de Viau, Cyrano de Bergerac, Saint-Amand, d'Assouci e La Mothe le Vayer, para citarmos apenas alguns nomes[6]. No decorrer do século XVII o pensamento

[5] O trabalho de Sergio Bertelli. *Rebeldes, libertinos y ortodoxos en el barroco* (Marco Aurelio Galmarini (trad.), Barcelona, Península, 1984), em que o autor examina as diferentes posições historiográficas resultantes do choque entre ortodoxos e libertinos, aponta importantes linhas de articulação entre um grande número de pensadores europeus dos séculos XVI e XVII, qualificados de "libertinos". Entre eles estão Jean Bodin com a *reductio ad hominem* explicitada no *Methodus*, Francis Bacon propondo a passagem da história eclesiástica para a história das religiões e Spinoza com o projeto de "historicizar" a Bíblia.

[6] Sobre as correntes libertinas do pensamento francês no século XVII ver: Paul Hazard. *Histoire de la littérature française*, tomo I. Paris, Larousse, 1923-1924, pp. 233-36; tomo II, pp. 32-34; idem, *La crise de la conscience européene*, tomo I. Paris, Bouvin & Cie., 1935, pp. 157-205; René Pintard. *Le Libertinage érudit dans la première moitié du XVIIeme siècle*. Paris, Bouvin & Cie., 1943; e Claude Reichler. *L'Âge libertin*. Paris, Minuit, 1989.

libertino ganha visibilidade na cena cultural francesa, e não são poucos os autores a ele vinculados ou por ele influenciados; a tragédia de Théophile, *Pyrame et Thisbé*, será reeditada inúmeras vezes durante o período, tornando-se referência obrigatória para um expressivo número de escritores.

Entre eles está Jacques Vallée, senhor des Barreaux, que, segundo Hazard, "amava de forma extrema seus prazeres e a liberdade; só sonhava com divertimentos e boa companhia; era admirável nos entretenimentos da mesa. (...) Não acreditava em nenhuma religião, nem em Deus, nem no Diabo". A maior parte de suas poesias traz a marca da descrença e também a marca de uma devassidão às vezes repugnante. Seus poemas, que tematizam a volúpia, a corrupção da carne, o horror da morte, conheceram grande sucesso na época, embora sua reputação fosse criticada até mesmo por outros pensadores libertinos, como Gui Patin, que o responsabilizava por "corromper os espíritos de muita gente jovem que se deixa contaminar pela devassidão". Assim, conclui Hazard, des Barreaux representa "o tipo do libertino completo, libertino de conduta e libertino de opinião"[7]. Uma apresentação de Sade confirma essas palavras, quando, ao mencionar a amizade entre esse poeta e Théophile, observa que "a impunidade e a devassidão desses dois amigos foram levadas ao cúmulo"[8].

Seria impossível, neste momento, tentar fazer uma "árvore genealógica" da libertinagem, e não é esse nosso objetivo. Se tomarmos um trabalho como o de Sergio Bertelli veremos que a classificação de "libertino", em oposição aos ortodoxos do barroco, refere-se a um contingente extenso e diversificado de escritores, filósofos e historiadores do período. O mesmo se verifica nos estudos de Hazard, Pintard e Reichler, que contêm número significativo de referências. Além disso, deve-se ter o cuidado de não homogeneizar as diversas correntes em jogo, que mantêm, em seu interior, uma série de diferenças e até mesmo de concepções conflitantes. Contudo, pode-se indicar, a partir dessas leituras, alguns traços fundamentais do pensamento libertino, desde seus primórdios.

Inicialmente é preciso apontar um campo de conflitos entre libertinagem e religião. Constituindo-se em escolas de pensamento que, *grosso modo*, opõem os ensinamentos da fé e da moral às constatações da experiência cotidiana e da percepção sensorial: a libertinagem é marcada pela dúvida, muitas vezes insinuando o materialismo como saída possível. De forma geral, os libertinos são considerados

---

[7] Paul Hazard e Joseph Bédier (orgs.). *Histoire de la Littérature française*, 1923-1924, tomo I. Paris, Larousse, 1955, p. 235

[8] Sade, *Histoire de Juliette*, tomo II, op. cit., p. 92.

inimigos da religião. Mais brandos nessa condenação, os jesuítas adotam métodos sutis na tentativa de tornar a fé abordável a esses homens, sem deixar, todavia, de atacá-los. Mais intransigentes, os jansenistas colocam-se no campo de batalha: a *Apologie de la religion* que preparava Pascal visava diretamente os libertinos. De toda forma, protestantes e católicos associam seus esforços nesse ataque, isso acontece porque "há, na moral libertina, uma antecipação do 'Deus é morto, tudo é permitido!' nietzschiano"[9].

Todavia, essa afirmação, ainda que tenha sentido se tomarmos uma obra como a de Sade, peca por exagero. Não é possível afirmar que o pensamento libertino, sobretudo no século XVII, seja regido por um único comportamento ou uma única concepção religiosa. As evidências são muitas: se alguns de seus representantes mantêm-se descrentes a vida toda, outros acabam se convertendo ao cristianismo, como Cyrano, Théophile ou Des Barreaux (ainda que este somente tenha se convertido às vésperas de sua morte, aos 71 anos); expressiva parcela destes pensadores adere ao deísmo, como é o caso de Saint-Évremont[10].

Será necessário aguardar até o século XVIII para que a libertinagem assuma caráter fundamentalmente anti-religioso e vincule-se, de forma definitiva, ao ateísmo. Aqui, questões importantes se colocam: teria havido nessa passagem algum tipo de ruptura entre as correntes libertinas? Quais livres-pensadores dos séculos XVI e XVII serão lidos, apreciados ou criticados no século XVIII? Enfim, que diferenças são engendradas no decorrer dessa história? A formulação dessas respostas certamente exigiria uma pesquisa mais densa, particularmente voltada ao tema. Arrisquemos apenas uma sugestão.

O sentido das palavras que, no decorrer do período, define o libertino pode ser de interesse para essa investigação. Nos séculos XVI e XVII a palavra *roué*, que significa ao mesmo tempo devasso e supliciado, está ligada ao suplício da roda, castigo infligido a muitos e estendido aos rebeldes descrentes. Porém, se nos primórdios da libertinagem o termo carregava consigo a condenação a punições rigorosas (Théophile é aprisionado e escapa por pouco da morte), depois de 1715, com a Regência, os libertinos passam a ser assim designados apenas simbolicamente: "dignos do suplício da roda por sua libertinagem". O dicionário *Littré* aponta os significados históricos da palavra *libertin* de forma cronológica, iniciando pela versão ultrapassada, típica do século XVI ("aquele que não se sujeita

[9] Claude Reichler. *L'Âge libertin*, op. cit., 1989, p. 16.

[10] Ressalvamos que os dados biográficos não podem, por si sós, indicar a postura desses homens em relação à religião, sobretudo se considerarmos que eles eram alvo de perseguições na época.

nem às crenças nem às práticas da religião"), até chegar ao sentido moderno, que data do século XVIII, já referindo-se à moral e à sexualidade: "desregrado no que diz respeito à moralidade entre os dois sexos"[11].

Isso leva a pensar que, se inicialmente os libertinos caracterizavam-se pelo desafio aos dogmas da religião e à autoridade do poder, com o passar do tempo eles vão substituindo a rebeldia política e religiosa pela afronta à moral. É, também, o que sugere Claude Reichler, em seu livro *L'Âge libertin*[12]. Seria lícito supor tal deslocamento? A questão é complexa. Numa abordagem inicial, se considerarmos as pontas dessa história — do final do século XVI às primeiras décadas do século XVIII —, essa substituição parece realizar-se, e o alvo visado pela libertinagem supostamente transfere-se da política para a moral. Não há como descartar as motivações históricas que possam ter engendrado esse movimento quando nos recordamos que, durante a Regência, o poder está nas mãos de libertinos. Melhor dizendo, de um tipo bastante particular de libertinos; voltaremos a isso.

No tocante à religião, porém, se houve algum deslocamento, este se deu não como mudança de alvo, mas como radicalização de uma postura desde sempre reivindicada pelos devassos. Basta lembrar que, se o ateísmo só é concebível histórica e conceitualmente a partir do século XVIII, não é possível falar do surgimento do sentimento ateu sem fazer referência à libertinagem. Portanto, o que podemos concluir daí é que a rebeldia diante da fé religiosa não só se manteve como traço marcante desse grupo durante toda a sua história como também acirrou-se de forma decisiva. Essa passagem — da descrença difusa da libertinagem de um século ao ateísmo radical com que ela se apresenta no outro — se constituirá como condição essencial para o aparecimento de um pensador como Sade.

Outro ponto importante — e que para quem estuda o marquês toma-se fundamental — é o que diz respeito às fontes clássicas dos livres-pensadores. Aqui encontramos uma série de convergências a nos comprovar que já os libertinos do século XVII tomam o epicurismo e o estoicismo como as principais matrizes

[11] Conforme Roger Vailland. *Le Regard froid*. Paris, Bernard Grasset, 1963, pp. 78-79.

[12] A tese central do livro de Reichler é a de que haveria uma "primeira libertinagem", que remonta ao final do século XVI, cujos seguidores caracterizam-se por desafiar a sociedade, declarando-se abertamente contra a religião e a política. No decorrer do século seguinte, eles serão substituídos pelos filósofos céticos e pelos teóricos mundanos da honestidade, que não acreditam nas convenções sociais, mas lidam com elas, vindo a se compor com a autoridade que rejeitam para, afinal, criticá-la. A "terceira libertinagem", típica do século XVIII, se caracterizaria pelo sujeito que se perde nas máscaras sociais, tendo na figura do sedutor a sua imagem privilegiada. Nesse momento, diz Reichler, "o discurso libertino desce do céu idílico à terra dos prazeres". Assim, segundo o autor, o desafio aos ensinamentos da fé e à autoridade política terminaria sendo substituído pela rebeldia moral, visando à fruição do corpo (Claude Reichler. *L'Âge libertin*, op. cit.).

filosóficas de seu sistema[13]. Lucrécio é, por excelência, a grande fonte: multiplicam-se, a partir de então, as traduções do *De natura rerum*[14]; o panteísmo epicurista passa a ser objeto privilegiado de interesse e de reflexão para os descrentes. A atitude de indiferença característica do comportamento estóico inspira o ceticismo de pensadores como Gabriel Naudé que, seguindo os ensinamentos de Charron, fazem do livro *De la sagesse* uma espécie de bíblia da libertinagem[15].

Essa tendência está, também, profundamente ligada às idéias de Gassendi, que esboça uma filosofia fundada nas teorias de Epicuro e escreve obras de grande repercussão entre os libertinos, o *Syntagma philosophiae Epicuri* e *De vita et moribus Epicuri*. Segundo Hazard, "Gassendi adapta a doutrina de Lucrécio aos hábitos de um pensamento formado por muitos séculos de cristianismo"[16], vindo a ter inúmeros discípulos, dentre os quais Cyrano de Bergerac e Molière. Logo após sua morte, em meados do século, o *Abrégé de la philosophie de Gassendi* escrito por Bemier torna-se leitura obrigatória entre os livres-pensadores, mantendo sua popularidade até o XVIII.

Agnes Heller vai buscar as matrizes desse interesse pela filosofia estóico-epicurista no Renascimento.

> Considerem-se os heróis e as heroínas do *Decameron* de Boccaccio: no meio de um flagelo mortífero reúnem-se numa igreja — mas, em vez de se resignarem à graça divina, confiando na expiação dos seus pecados ou pedindo histericamente o auxílio de santos ou objetos de devoção, partem para o atraente jardim de um castelo para "viverem uma vida de beleza". (...) Durante todo o tempo em que a peste grassou, não pensaram uma *só* vez na possibilidade da sua própria morte; não é em vão que se diz deles que "a morte não os vencerá".[17]

[13] Limito-me a indicar essas matrizes e suas articulações históricas na medida em que utilizo aqui fontes secundárias. Apresentar as doutrinas estóico-epicuristas dos séculos XVII e XVIII e discuti-las no campo da filosofia implicaria a leitura dos autores apontados, e não dos historiadores do período aqui utilizados, que introduzem de forma breve e resumida essas concepções.

[14] Bertelli cita a tradução para o italiano da obra de Lucrécio, feita por Alessandro Marchetti, em 1664; Hazard cita as traduções de Coutures e de Hénault para o francês, dizendo que não são as únicas do século XVII; Grimm confina, na sua *Correspondance*, a popularidade do autor já no século XVIII, citando a tradução de Lagrange, editada por d'Holbach. Sade abre o romance *Aline et Valcour* com uma epígrafe de Lucrécio; sabemos que ele conhecia o poeta, pois, numa carta que envia à marquesa, em 25 de junho de 1783, de Vincennes, ironiza seus censores dizendo: "Recusarem-me as *Confessions* de Jean-Jacques é uma coisa excelente, sobretudo depois de me enviarem Lucrécio e os diálogos de Voltaire...".

[15] Perguntado sobre qual seria o melhor de todos os livros, Naudé responde que "depois da Bíblia me parece que é *la Sagesse* de Charron". Conforme Bertelli, *Rebeldes, libertinos y ortodoxos en el barroco*, op. cit., p. 299. Sobre a repercussão dessa obra no século XVII ver Agnes Heller. "Estoicismo e epicurismo", in *O homem do Renascimento*. Lisboa, Presença, 1982, p. 86.

[16] Paul Hazard e Joseph Bédier (orgs.). *Histoire de la Littérature française*, 1923-1924, op. cit., tomo II, p. 32.

[17] Agnes Heller, "Estoicismo e epicurismo" op. cit., p. 91.

A atitude dos personagens do *Decameron*, desafiando a morte e conferindo à vida — e seus prazeres — um sentido maior, seria típica deste novo tipo de comportamento que passa a ser valorizado pelos homens renascentistas, fortemente influenciado pelos princípios de Epicuro: "enquanto vivemos, não há morte".

A afirmação de Agnes Heller é interessante, pois, ao identificar traços do tipo estóico-epicurista nos personagens de Boccaccio ou de Rabelais, e, ainda, marcar sua proximidade com as teorias do prazer e do sentimento formuladas na época, ela indica a mesma linhagem de pensadores que Bertelli aponta como antecessora direta dos libertinos, herdeiros dessas correntes renascentistas. Talvez por isso, mesmo sem precisar essa filiação, ela possa afirmar que o

> *De voluptate ac vero* de Valia faz mais que repetir as questões consideradas pelos epicuristas antigos; é também precursor da teoria do prazer francesa dos séculos XVII e XVIII. As suas premissas, combinadas com a teoria da utilidade, conduziram às interpretações do Iluminismo francês, em particular as análises de Holbach e de Helvetius.[18]

A se crer nas teses de Bertelli, Hazard e Heller, a tradição estóico-epicurista é redescoberta no Renascimento e sua trajetória se estende até o século XVIII, sendo, nesse percurso, objeto de inúmeras adaptações e releituras. Se tomarmos o exemplo de Sade veremos que essa tradição chega a um leitor setecentista por meio de várias fontes: das traduções dos clássicos, em especial de Lucrécio, e dos filósofos seus contemporâneos, como é o caso de d'Holbach e de la Mettrie, este último autor do *Système d'Epicure* e do *Anti-Sénèque ou Discours sur le bonheur*[19]. E, como o próprio marquês anota, da leitura dos romancistas:

> O epicurismo de Ninon de Lenclos, de Marion de Lorme, dos marqueses de Sévigné e de La Fare, de Chaulier, de Saint-Évremond, enfim, de toda essa encantadora sociedade que, curada dos langores do Deus de Citem, começava a pensar, como Buffon, que no amor só havia de bom o físico, em breve mudou o tom dos romances (...) envolvendo cinismo e imoralidades num estilo agradável e jocoso, algumas vezes filosófico, e, se não instruíram, pelo menos agradaram.[20]

---

[18] Agnes Heller, "Estoicismo e epicurismo" op. cit., p. 101.

[19] Essas obras de la Mettrie indicam que a associação do epicurismo ao estoicismo não é tão automática como parece: o *Système* é uma obra de apologia a Epicuro, enquanto o *Anti-Sénèque*, como o nome indica, é um livro crítico ao estoicismo. Segundo Geoffrey Gorer. *Vida e ideas del Marqués de Sade*. Buenos Aires, Pleyade, 1969, pp. 113 e 114.

[20] Sade, "Idée sur les romans", op. cit., p. 68.

Ora, este epicurismo não é referência distante, ou apenas influência na obra sadiana. Ele é efetivamente uma das principais bases do sistema filosófico de Sade, constituindo-se como característica fundamental do "gênero de libertinagem" sobre o qual discorre e assumindo nele uma forma absolutamente peculiar[21]. Além disso, é também uma chave importante para entendermos as opções do marquês diante das distintas direções que toma o deboche setecentista. Pois, no século XVIII, já existem, claramente demarcados, pelo menos dois tipos de libertinagem: a de "espírito" e a de "costumes".

A *LIBERTINAGE D'ESPRIT*

Quem são os libertinos de espírito no século XVIII? Trata-se de uma gama tão variada de filósofos, homens de letras, divulgadores de idéias, vinculados aos círculos eruditos ou aos populares, que fica difícil estabelecer, entre eles, características comuns além daquelas que já definiam seus antecessores do XVII — o livre-pensar e o ataque à religião —, de quem são herdeiros diretos. Para se responder a essa questão é necessário perguntarmos inicialmente quem define, no XVIII, o estatuto de libertino.

Robert Darnton mostra que, do ponto de vista de um inspetor de polícia que arquivava informações sobre os escritores da época, o epíteto *libertin* servia tanto para ilustres *philosophes* como para obscuros panfletistas. Assim, ao consultar os relatórios do inspetor do comércio livreiro Joseph d'Hèmery, escritos entre 1748 e 1753, encontrou nomes como os de Voltaire, Piron e Diderot ao lado de popularizadores da ciência, como Pierre Estéve, ou versejadores ateus, como um certo abade Lorgerie que escrevera "uma epístola contra a religião". O critério de classificação de d'Hèmery era fundamentalmente político, na medida em que se orientava pela idéia de que o ateísmo ameaçava a autoridade da coroa; por isso, conclui Darnton, "os *libertins* constituíam a mesma ameaça que os *libelles*, e a polícia precisava reconhecer o perigo sob ambas as formas, quer atingisse pelas costas, sob a forma de difamação pessoal, ou se disseminasse pela atmosfera, a partir das águas-furtadas dos *philosophes*[22].

---

[21] Remeto aqui ao capítulo 5 de meu livro *Sade — A felicidade libertina*, op. cit., em que discuto a singularidade do estoicismo-epicurismo de Sade.

[22] Robert Darnton, "Um inspetor de polícia organiza seus arquivos: a anatomia da república das letras", in Darnton, *O grande massacre de gatos*. Rio de Janeiro, Graal, 1986, pp. 239-40.

Porém, não era apenas a polícia que reunia autores de livros tão díspares em suas inspeções, mas, igualmente, os agentes clandestinos do comércio livreiro, capazes de colocar lado a lado obras filosóficas e libelos sensacionalistas. Entre esses dois pólos, os *philosophes* e os panfletistas, ainda havia espaço para um significativo número de escritores que não se enquadram nessas extremidades, como é o caso, por exemplo, de um Laclos, ou de um Mirabeau. O que determinava esse agrupamento editorial? O critério, nesse caso, não era exatamente o mesmo da polícia, mas dele decorrente: a proibição. Segundo Darnton, os comerciantes de livros proibidos — e talvez também os leitores — pareciam reduzir as obras desses autores ao denominador comum da irreligiosidade, imoralidade e incivilidade.

> Fosse qual fosse a combinação de causas em ação, o *Ancien Régime* colocava Charlot et Toinette, *Vénus dans le Cloître*, D'Holbach e Rousseau nas mesmas caixas e sob o mesmo codinome. *Livres philosophiques* para os negociantes, *mauvais livres* para a polícia; fazia diferença? O que importava era a clandestinidade por eles partilhada. Havia igualdade na ilegalidade: Charlot e Rousseau estavam juntos; irmanava-os a condição de renegados.[23]

Entre aqueles que a polícia e os livreiros clandestinos agrupavam juntos, porém, existiam profundas diferenças. E se elas se manifestam para o historiador que, como Darnton, sente " certo desconforto" ao vê-los assim reunidos, eram ainda mais graves entre os autores em questão. Os subliteratos desprezavam Voltaire, "o *mondain*, que estigmatizara Rousseau como um 'pobre diabo'". Voltaire, por sua vez, horrorizava-se com os escritos de Charles Théveneau de Morande, um dos mais virulentos panfletistas da boemia literária. Por ocasião do aparecimento do *Gazetier cuirassé* de Morande, ele anotou em seu *Dicionário Filosófico*: "Acaba de aparecer uma daquelas obras satânicas em que todos, do monarca ao último dos cidadãos, são insultados com furor; em que as mais atrozes e absurdas calúnias instilam sua peçonha terrível em tudo aquilo que se respeita e ama"[24]. Os filósofos e homens de letras eruditos, a exemplo de Voltaire e de Sade, não deixavam de marcar sua distância em relação àqueles que consideravam subliteratos, embora para a polícia e os comerciantes eles fossem quase todos libertinos.

Quem são, então, os libertinos de espírito do ponto de vista dos *philosophes*? Estão, certamente, entre eles, e freqüentam os exclusivos grupos de eruditos cuja

---

[23] Robert Darnton, *Boemia literária e revolução*. São Paulo, Companhia das Letras, 1987, p. 206.
[24] Idem, *O grande massacre de gatos*, op. cit., pp. 45 e 35.

marca é a independência do pensamento. Já desde as últimas décadas do século XVII esses círculos são, por excelência, o local de apresentação e discussão de novas idéias: Molière reúne, em Auteuil, alguns íntimos: Bernier, Chapelle, des Barreaux; Ninon de Lenclos e Mme. Mazarin são as anfitriãs prediletas dos "espíritos fortes", La Mothe Le Vayer, Saint-Évremond. Boulainvilliers anima uma sociedade que se reúne no palacete do duque de Noailles, onde se discutem livremente os grandes problemas fundamentais: origem do mundo, dos seres, das espécies. Lá, os jovens Fréret e Dumarsais estudam as doutrinas do século — Descartes, Spinoza, Locke — enquanto os tradicionais corredores do Templo testemunham o encontro do velho abade cego, Chaulier, com o jovem Voltaire.

Já no século XVIII são os salões, então mais mundanos, que aproximam os homens de espírito. Mme. du Deffand recebe uma sociedade de céticos e de analistas; Mlle. de Lespinasse reúne-se com a sua corte de espíritos fortes, e sua casa é chamada de "laboratório da Enciclopédia"; o salão da bela Mme. Helvetius é freqüentado por Diderot, Condorcet, d'Alembert; Mme. Geoffrin abre suas portas aos artistas nas segundas-feiras e, aos escritores, nas quartas; Mme. d'Epinay, Mme. Suard, Fanny de Beauharnais disputam a honra de anfitrionar os *philosophes*[25].

Porém, esses salões, dirigidos pelas chamadas "mulheres-filósofas", dependem muito da opinião da sociedade; embora recebam escritores como Laclos, não são considerados o reduto ideal para abrigar a radicalidade dos livres-pensadores. Segundo Paulette Charbonnel, essas mulheres "se entregam às discussões, às amizades e inimizades, motivadas mais por sentimentos que por princípios, criando freqüentes perturbações em sua sociedade"[26]. Entre os salões, portanto, se destacará sobremaneira aquele do palacete da Rue Royale Saint-Roch, que, durante vinte anos, reunirá filósofos e homens de letras em torno de um princípio claro — a independência do pensamento —, conferindo-lhe brilho único em toda a Europa. Trata-se do "salão do barão", como era conhecido na época, anfitrionado por um personagem extremamente importante para quem estuda Sade: D'Holbach.

O salão dirigido por d'Holbach recebe os amigos duas vezes por semana e mantém as mulheres à distância.

---

[25] Sobre os salões, ver Hazard, *Histoire de la Littérature française*, 1923-1924, op. cit., tomo II, pp. 32-33; Paulette Charbonnel. "Introduction", in D'Holbach, *Premieres Œuvres*, op. cit., pp. 32-33; Carlos Drummond de Andrade. "Prefácio", in *As relações perigosas*. Rio de Janeiro, Ediouro, s.d., pp. 10-11.

[26] Paulette Charbonnel, "Introduction", op. cit., p. 33.

Ainda que não sejam nem tolas, nem feias, aqui a atração não vem delas, mas da qualidade daqueles que se encontram lá, regularmente, na quinta-feira em assembléia maior e no sábado em comitê mais restrito. Sentam-se à mesa às duas horas da tarde; a refeição é sempre copiosa, regada por vinhos da melhor qualidade. À saída da mesa prolonga-se a discussão sobre qualquer assunto da atualidade: "Deve-se ou não inocular contra a varíola? Deve-se ou não permitir a fabricação de tecidos pintados na França?"

Além disso, debatem-se problemas mais gerais: história natural, medicina, filosofia[27].

Mais tarde, recordando essa época em suas memórias publicadas sob a Restauração, Morellet evoca com emoção as experiências de juventude compartilhadas com os amigos no salão de d'Holbach. E, mesmo tentando não se comprometer em demasia, diz:

O barão era um dos homens mais eruditos de seu tempo, conhecendo várias línguas da Europa, e mesmo algumas das línguas antigas, possuindo uma biblioteca excelente e numerosa, uma rica coleção de desenho dos melhores mestres, excelentes quadros dos quais era bom juiz, um gabinete de história natural contendo peças preciosas etc.

Sua casa, continua, "recebia os mais marcantes homens de letras franceses", como Diderot e Helvétius, além de "estrangeiros de distinção", como Hume, Wilkes, Sterne, Walpole, Beccaria e muitos outros. "Lá se ouvia a conversação mais livre, a mais animada e a mais instrutiva jamais realizada; quando digo livre quero dizer em matéria de filosofia, de religião, de governo, pois os gracejos livres de um outro gênero estavam banidos"[28].

D'Holbach é um perfeito libertino de espírito. Não só por se dedicar ao gênero de livre-pensar a que se refere Morellet, mas também pela radicalidade com que ataca a religião, obrigando-o à clandestinidade. Apenas uma dezena de amigos sabe da ocupação secreta a que se dedica o barão:

Os obstáculos da Enciclopédia, as sentenças do Parlamento, da censura real e do papa contra os livros de seus amigos, a prisão de uns, o exílio de outros, o algoz que tortura, esquarteja e queima em Toulouse, em Montpellier, em Arras, inspiram-lhe uma resolução feroz de luta contra o fanatismo e a intolerância. Ele não disfarçará nos seus escritos. Ele dirá claramente, mas havia ouvido os conselhos

---

[27] Paulette Charbonnel, "Introduction", op. cit., p. 34.
[28] Citado por Charbonnel, "Introduction", op. cit., p. 26.

de Voltaire. Ele não assina mais nada e não reivindica como sua nenhuma obra. Por sorte, o barão está protegido da suspeita por este tipo de halo de honorabilidade que constituem, quando estão reunidas, a distinção social, a riqueza e uma irrepreensível vida privada. O resto será entre ele, Diderot e alguns amigos fiéis, sua consciência e sua pena de ganso. Ele se fecha definitivamente no anonimato como em uma inexpugnável citadela.[29]

O que diz esse homem? O que publica clandestinamente? Edita uma dezena de manuscritos póstumos de autores como Boulanger, Dumarsais, Fréret[30]; algumas traduções e adaptações de livros profundamente anti-religiosos escritos por contemporâneos seus, e de clássicos da antigüidade, como Lucrécio. E também a sua extensa obra pessoal, cujos títulos indicam por si só o conteúdo ateu: *Le Christianisme dévoilé, ou Examen des principes et des effets de la religion chrétienne, De la cruauté religieuse, Examen critique de la vie et des écrits de saint Paul*, entre outros, e o livro que Sade considerava "a mais importante obra filosófica" de seu século, o *Système de la nature, ou des lois du monde physique et du monde moral.* Os pseudônimos por ele utilizados são igualmente expressivos: reaparecem escritores, cujos textos póstumos ele havia editado, e outros como o abade Bernier, autor conhecido pela divulgação das idéias de Gassendi[31].

> Os homens se enganam sempre que abandonam a experiência pelos sistemas criados pela imaginação... É, portanto, à física e à experiência que o homem deve recorrer em todas as suas investigações. São elas que ele deve consultar na sua religião, na sua moral, na sua legislação, no seu governo político, nas ciências e nas artes, nos seus prazeres e nas suas dores,

diz o barão já na abertura do *Système de la nature.* Rejeitando o dualismo que opõe espírito e matéria, d'Holbach concebe uma natureza regida por uma ordem universal de leis imutáveis; portanto, o sobrenatural é sempre efeito de uma causa natural cuja explicação ainda não foi descoberta. Não é possível acatar a existência de milagres: o Velho e o Novo Testamento são mistificações,

[29] Citado por Charbonnel, "Introduction", op. cit., p. 39. Segundo a autora, esses amigos são: Diderot, Marmontel, Saint-Lambert, de Chastellux, Suard, Roux, Darcel, Raynal, Helvétius e Morellet. Entre as poucas obras assinadas por d'Holbach estão seus primeiros escritos, algumas traduções e artigos para a Enciclopédia.

[30] De Fréret é importante lembrar a *Lettre de Thrasybule à Leucippe*, referência fundamental de Sade, inúmeras vezes citada em seus livros, especialmente na *Histoire de Juliette*.

[31] A cultura clássica de d'Holbach teve significativa influência em sua obra. Segundo Charbonne1, ele preferia os latinos aos gregos, privilegiando os historiadores, os moralistas e os políticos. Conhecia bem Tito Lívio, Tácito, Cícero e Sêneca, e filiava sua filosofia ao *De natura rerum*.

"rapsódias toscas, obra do fanatismo e do delírio", como arma no prefácio à *Histoire critique de Jésus Christ*[32].

Faz-se necessário, portanto, investigar a origem dessas mistificações, o nascimento dos sentimentos religiosos, para ponderar que "todo homem que sofre, que treme e que ignora está exposto à credulidade", e concluir que "o medo e a ignorância criaram os deuses". Se as crenças persistem é porque, uma vez renunciando à razão, os homens passam a aceitar mediadores entre eles e as divindades, submetendo-se àqueles que possuem "o direito exclusivo de entender e de explicar as Santas Escrituras". Concorrem para essa submissão fatores sociais e políticos como a educação, a imposição de hábitos, a tirania da força:

> O padre e o tirano têm a mesma política e os mesmos interesses: só precisam, um e outro, de sujeitos imbecis e submissos (...) ambos corrompem, um para reinar, o outro para expiar; ambos se reúnem para abafar as luzes, para massacrar a razão e para destruir até o desejo de liberdade no coração dos homens.

Somente a razão pode combatê-los, pois, fundando-se na experiência e sustentando-se nos parâmetros da felicidade, individual e da utilidade social, os princípios da racionalidade opõem-se aos dogmas: "A liberdade de pensar será sempre funesta aos sacerdotes"[33].

Foram essas algumas das idéias que fizeram de d'Holbach um filósofo clandestino, um libertino de espírito que só teve a possibilidade de debater suas concepções com alguns amigos próximos. Foram essas algumas das idéias que uma pequena sociedade de livres-pensadores discutiu vivamente em meados do século XVIII, suscitando polêmicas e adesões em seu interior[34]. Foram, também, essas idéias que motivaram as graves acusações de Rousseau ao grupo que se reunia no palacete da Rue Royale de Saint-Roch.

Embora tenha freqüentado o salão do barão durante alguns anos, mesmo nas reuniões mais íntimas, Rousseau pareceu não hesitar em denunciar a existência de "uma confederação filosófica" de princípios anti-religiosos, ameaçando a

---

[32] De acordo com Charbonnel, op. cit., pp. 68-69.

[33] Citado por Charbonnel, ibidem, pp. 72 a 75.

[34] Voltaire, a partir de 1768, combate o ateísmo de d'Holbach defendendo os princípios do deísmo; Diderot, que se supõe tenha colaborado no *Système de la nature*, defende sem restrições as idéias do barão. Isso não implica que ambos não tenham sido igualmente fiéis na cumplicidade com o anonimato de d'Holbach, posto que essas polêmicas circulavam num grupo restrito de amigos.

segurança de d'Holbach ao tomar público seu ateísmo. Voltaire o chamou de "traidor", Diderot não o perdoou jamais.

> Acusada de se constituir em "seita", em "sinagoga", em "capela holbachiana", o núcleo militante do salão protestou em conjunto contra essas calúnias, divulgadas com o auxílio do ódio por devotos, jesuítas, antifilósofos, mercenários de pena vendidos a algum grande senhor, a algum ministro ou a algum clã, como o Palissot ou Fréron.[35]

A denúncia de Rousseau repercutiu pela França, em desastrosos ecos.

Mas as idéias perigosas da "capela holbachiana" também ecoaram. Rousseau, portanto, enganara-se: aquela sociedade que parecia ser uma "confederação", uma "seita" restrita a pequeno número de iniciados, acabou tendo seus princípios divulgados muito além das paredes do palacete de d'Holbach. O anônimo barão tornou-se, ao lado de Jean-Jacques, grande sucesso editorial na clandestinidade. Entre os livros que figuram nos arquivos examinados por Darnton encontram-se, com destaque, a *Histoire critique de Jésus Christ, Le christianisme devolié, La théologie portative* e o *Système de la nature*, todos publicados sob pseudônimo. O comércio de livros proibidos favoreceu a versão mais extrema do lluminismo, à La Mettrie e d'Holbach, como observa Darnton, produzindo alguns dos *best-sellers* das últimas décadas do século XVIII: a demanda de livros ilegais "ultrapassava, evidentemente, a impiedade voltairiana, chegando ao ateísmo descarado que horrorizava o próprio Voltaire"[36].

A repercussão das idéias de d'Holbach sugere que a mais radical libertinagem de espírito ocupou, ainda que subterraneamente, lugar importante no século XVIII. Estranha-se que a biógrafa do barão desconheça essa repercussão, e assegure ter tido ele "poucos leitores"[37]. Os trabalhos de Darnton mostram o contrário. Além disso, sabemos que essas idéias chegaram a perfurar até as muralhas de Vincennes e da Bastilha, ecoando na obra de um escritor que concebeu um gênero específico de libertinagem, ao qual concorre não só o espírito, mas também a carne. A experiência, como defendia d'Holbach, terá um peso decisivo para os libertinos de Sade.

---

[35] Charbonnel, "Introduction", op. cit., p. 38.
[36] Robert Darnton, *O grande massacre de gatos*, op. cit., p. 142.
[37] Charbonnel, "Introduction", op. cit., p. 50.

A *LIBERTINAGE DES MOEURS*

Se os libertinos de espírito setecentistas são herdeiros diretos dos livres-pensadores do século anterior, o que supõe uma continuidade (haja vista a recorrência da matriz filosófica estóico-epicurista), a libertinagem de costumes parece ser natural do século XVIII. Isso não quer dizer que não tenham existido libertinos de conduta em outras épocas da história francesa: Chaussinand-Nogaret observa que, nos séculos XVI e XVII, sobretudo nos períodos de crise e insegurança, "a delinqüência, sob suas formas mais brutais, pirataria, banditismo, assassinato, foi um fenômeno de dimensões inquietantes na nobreza". O jogo de palavras entre "gentilhomme", "gens-tue-hommes" e "gens-pille-hommes", que só faz sentido em francês, aproxima "homem da sociedade" ao "homem que mata", e revela que, embora os nobres tentassem ocultar seus marginais, os escândalos que resultavam da delinqüência aristocrática não facilitavam muito os seus segredos[38].

O banditismo da nobreza nos séculos XVI e XVII, de certa forma ligado à guerra e à caça, será substituído pelo crime de libertinagem, relacionado à vida galante, ao refinamento dos prazeres, à insaciável busca de novas experiências. Por isso, quando se diz que os libertinos de costumes são personagens do século XVIII, isso significa que nesse momento um tipo de conduta não só adquire visibilidade social mas também constitui um grupo reconhecido por características particulares: desafio à moral e à religião, desprezo pelos preconceitos vulgares e prática de atos cruéis, principalmente a violência sexual[39]. Isso acontece sobretudo a partir das primeiras décadas do século, ou, mais exatamente, com a Regência[40].

Comecemos, pois, pelo Regente. Os anos que antecedem a sucessão de Luís XIV são marcados pela morte de vários de seus herdeiros: o duque e a duquesa de Bourgogne, o duque de Bretagne, o duque de Berry. Essas mortes sucessivas não parecem naturais, e geram suspeitas: quem lucraria com o desaparecimento desses herdeiros do trono? Quem seria capaz de tamanha vileza? Apenas um nome vem à mente daqueles que se indagam: o duque de Orléans. O ateísmo do príncipe, sua conduta depravada, suas intrigas na Espanha e seu interesse direto na sucessão

[38] G. Chaussinand-Nogaret. *La noblesse au XVIIIème siècle*. Bruxelas, Complexe, 1984, p. 112.

[39] Ver, nesse sentido, Chaussinand-Nogaret, op. cit., pp. 112 a 114; André Bourde. "Sade, Aix et Marseille: un Autre Sade", in *Le Marquis de Sade*. Paris, Armand Colin, 1968, pp. 59-64; e M. Parrat. "L'affaire de Marseille et le Parlement d'Aix", in *Le Marquis de Sade*, op. cit., pp. 51-53.

[40] Ressalvo que essa periodização só parece valer para a França, na medida em que a literatura sobre o assunto alude constantemente à "corte licenciosa" de Carlos II na Inglaterra da segunda metade do século XVII, retratada no famoso livro de John Wilmot, conde de Rochester, *Sodom, or the Quintessence of Debauchery*, de 1684.

fazem dele o grande suspeito. Dizia-se que ele freqüentava os astrólogos e se interessava por bruxaria, participando de rituais onde se evocava o diabo. Sabia-se também que ele instalara no Palácio Real um gabinete secreto, um laboratório de "ciências", onde realizava pesquisas misteriosas, ajudado por um químico estrangeiro. O envenenamento, o assassinato "à italiana", era um fantasma na corte.

Malvisto em Versalhes, gozando de péssima reputação em Paris, considerado pelo rei um "fanfarrão de vícios", o duque de Orléans parecia não se incomodar com as opiniões a seu respeito. Pelo contrário, agradavam-lhe os escândalos: "Ele se embriagava, fazia bastardos, freqüentava as piores companhias; blasfemava da manhã à noite, tinha os discursos mais adequados para elevar tudo o que fosse repugnante e arranjava para que a história de suas aventuras fosse divulgada por todos os cantos"[41]. Este comportamento acentua-se ainda mais depois que o duque assume a Regência.

Em 1715, Philippe d'Orléans, aos quarenta e um anos, tem aquela maturidade que, segundo Sade, faz os libertinos lançarem-se de forma insaciável à busca de novos requintes. Espirituoso, charmoso e fino, "ele havia recebido todos os dons da inteligência, todas as curiosidades do espírito, uma beleza real e expansiva, uma bravura, uma resistência e talentos que haviam brilhado na guerra. Mas sua depravação moral desconcertava e indignava"[42]. As histórias são muitas.

O duque e seus companheiros entram num velório levando garrafas e copos; conversam com o morto, convidando-o a beber com eles; chega o padre, os libertinos fingem acompanhar o cortejo cantando obscenidades; os padres protestam, os devassos cobrem-nos de injúrias e entram à força na igreja. Nem todos os religiosos, contudo, são seus inimigos; entre eles existem também diversos adeptos da libertinagem: o bispo de Beauvais, ligado ao Regente, instala sua amante no palácio episcopal, e ela passeia diariamente pela cidade no seu carro de cerimônia, ostentando o poder que seu ilustre amante lhe confere.

Uma das muitas acusações que paira sobre o Regente é a de incesto; sua filha preferida, a duquesa de Berry, tão depravada quanto ele, torna-se conhecida por suas aventuras amorosas. Na corte, dizia-se que Rion, um de seus últimos amantes, fazia dela uma escrava, e a duquesa "gritava, chorava, se rebaixava, gozando de sua servidão e humilhação". "Para ela era um verdadeiro prazer receber propostas sujas e escutar histórias obscenas. Renovava o gozo embriagando-se como um cocheiro,

[41] Pierre Gaxotte. *Le siècle de Louis XV*. Paris, Hachette, 1946, p. 21.
[42] Idem, ibidem, p. 20.

bebendo até cair e vomitando sobre a mesa na presença de convivas"[43]. Se a acusação de incesto não a comovia, muito menos ao pai: "Esse príncipe e essa princesa não eram apenas descrentes em Deus, mas exibiam publicamente seu ateísmo"[44].

Os anos de Regência são marcados pelo desvario e pelo excesso: festas, orgias, embriaguez. No inverno, três vezes por semana, há baile de máscaras na Ópera. No verão, os libertinos divertem-se com prostitutas nas obscuras alamedas dos Champs-Elysées. Todas as noites o Regente recebe para uma ceia no Palácio Real: companhia brilhante, mas íntima, escolhida num círculo restrito. Entre as mulheres, além da amante do momento, encontram-se Mme. de Tencin e Mme. du Deffand[45], todas muito perfumadas, os cabelos cortados como dita a moda, frisados e empoados, os vestidos longos, com aplicações de seda da Índia. Entre os homens, os companheiros de libertinagem, com quem desafia as convenções, brincando com as palavras, as idéias, as reputações. "Os vinhos são bons: champagne e Tokay. O tom se eleva. Eles se aquecem, dizem obscenidades em altos brados, e quanto maiores as impiedades, melhor. No final do dia todo mundo está embriagado"[46].

São muitos os companheiros de deboche do Regente; além disso, a libertinagem de costumes faz escola. Até o final do século, mesmo depois da Revolução, se ouvirá falar desses homens. O cínico duque de Richelieu, o estranho duque de Bourbons, o violento marquês de Bellay, o insólito marquês de Pleumartin, o desconcertante marquês de Antonelle são alguns dos que encarnam perfeitamente o libertino setecentista[47]. Um deles nos interessa sobremaneira: aquele que, segundo Michelet, "n'aimait le beau sexe qu'à l'état sanglant" (só amava o belo sexo quando o fazia sangrar)[48]. Trata-se do duque de Charolais, que inspira diversos personagens de Sade[49].

---

[43] Pierre Gaxote, *Le siècle de Louis XV*, op. cit., p. 60

[44] Ernest Lavisse, *Histoire de la France*, tomo VIII, Paris, Hachette, 1911, p. 465.

[45] Quando jovens, Mme. de Tencin (mãe de d' Alembert) e Mme. du Deffand abandonam-se à vida galante, freqüentam as festas do Regente e convivem com os "libertins des moeurs"; mais maduras, elas irão dirigir seus próprios salões, freqüentados por filósofos e escritores, muitos deles "Libertins d'esprit".

[46] Pierre Gaxotte, *Le siècle de Louis XV*, op. cit., p. 60.

[47] Uma interessante aproximação entre Sade e o marquês de Antonelle é feita por Pierre Guiral em "Un noble provençal contemporain de Sade, le marquis d'Antonelle", in *Le Marquis de Sade*, Armand Colin (org.), op. cit.

[48] Citado por Alan Hull Walton na "Introdução" a *Justine, or the misfortunes of virtue*, Londres, Corgi Books, 1964, p. 39.

[49] Charolais é citado em diversas passagens dos livros de Sade. Segundo Alan Walton, ele é o modelo que inspira o personagem Dolmancé de *La Philosophie dans le boudoir*; segundo Geoffrey Gorer, ele era um dos personagens do manuscrito queimado *Les Journées de Florbelle*, que, ao lado de Luís XV e do cardeal Fleury, apareciam com seu próprio nome. Ver Walton, "Introdução", op. cit., p. 39, e Gorer, op. cit., p. 72.

Charolais (1700-1760) é um príncipe de sangue, tio e tutor do príncipe de Condé, a quem, sabemos, o marquês é aparentado. Espirituoso, brilhante e violento, suas crueldades alimentam a crônica da Regência e de Luís XV; despreza e odeia sua mãe, contra quem move um processo; vive embriagado, e, na maior parte do tempo, fechado no palacete de Montmartre em companhia das amantes. Entre as muitas histórias sobre as atrocidades que cometeu, conta-se que assassinou uma criança doente, de seis ou oito meses, dando-lhe uma forte aguardente para beber. Outra, mencionada em *La philosophie dans le boudoir*, revela que, em 1723, ele matou um homem apenas por diversão:

> Voltando da caça, encontra um burguês parado em sua porta. De sangue frio, o príncipe diz: "Vejamos se atiro bem naquele corpo!", apontando em sua direção e lançando-o ao chão. No dia seguinte, ele vai pedir indulgência ao duque de Orléans, que, instruído sobre o acontecido, lhe responde: "Senhor, a indulgência que solicitais deve-se à vossa distinção e a vossa qualidade de príncipe de sangue; ela vos será concedida pelo rei, mas ele a concederá ainda com maior presteza àquele que tiver feito o mesmo a vós".[50]

Só quando lemos essas histórias dos libertinos de costumes no século XVIII, entendemos o sentido mais profundo do estranho parágrafo que abre as *120 journées*:

> As guerras prolongadas com que Luís XIV foi sobrecarregado durante o seu reinado, esgotando as finanças do Estado e a substância do povo, continham todavia o segredo de enriquecer uma enorme quantidade desses sanguessugas sempre alertas às calamidades públicas que eles mesmos provocam, ao invés de atenuar, e isto para melhor se aproveitarem delas. O final deste reinado, por outro lado tão sublime, foi talvez uma das épocas em que o império francês viu emergir o maior número de fortunas misteriosas, de origens tão obscuras quanto a luxúria e o deboche que as acompanharam. Foi quase no final deste período, e um pouco antes de o Regente ter tentado afugentar essa multidão de tratantes através do famoso tribunal conhecido como *Chambre de Justice,* que quatro deles conceberam a idéia das orgias singulares que vamos relatar.[51]

Parágrafo da maior importância, que abre o livro e antecede a apresentação dos devassos de Silling — um duque, um bispo, um magistrado e um financista

---

[50] Sade cita essa passagem, atribuindo as palavras do duque de Orléans a Luís XV, para ilustrar a impunidade do assassinato. As informações sobre Charolais aqui apresentadas constam de uma nota de Yvon Belaval em *La Philosophie dans le boudoir* (pp. 302-303), e são retiradas por sua vez do *Journal de Barbier, Chronique de la Régence et du règne de Louis XV* de 1857.

[51] Sade, *Les 120 journées de Sodome,* op. cit., p. 19.

— e que parece ser quase completamente esquecido pelos intérpretes de Sade, atraídos pela radicalidade das seiscentas paixões descritas logo a seguir. Assim, Annie Le Brun dirá que esta "incrível frase" tem o poder de nos "fazer passar para o outro lado da ordem, para além da sombra do mundo, lá onde se esconde a selvageria do ser"[52], sem, em momento nenhum, aludir à referência histórica apresentada pelo autor. Do mesmo modo procederão outros intérpretes da obra sadiana, ofuscados pela imaginação delirante do marquês, sem atentar para o fato de que o romancista propõe-se também como historiador. Como esquecer a paixão de Sade pela história? Ora, não define ele como "historiadoras" as quatro prostitutas que relatam as paixões das *120 journées* a partir de sua experiência nos bordéis parisienses?

É como se não pudéssemos aceitar que o "inconcebível" da literatura tivesse seu ponto de partida na história. Seja como for, as histórias dos libertinos setecentistas provam que não foi Sade quem introduziu a crueldade na libertinagem[53]. Ele é o primeiro a alertar disso, insistentemente, recorrendo de forma exaustiva a exemplos históricos. Além disso, as crônicas da época indicam que a devassidão dos personagens sadianos não deve ser creditada unicamente à fabulação excessiva de seu criador: ao descrever, em *Nuits de Paris*, os desregramentos do conde de Artois — depois Carlos X — num famoso bordel parisiense, Restif de la Bretonne chega a concluir que os feitos exemplares desse libertino teriam inspirado a criação de algumas cenas de *Justine*[54].

A questão, certamente, não é descartar a prodigiosa imaginação de Sade; mas, abordar sua obra a partir da história da libertinagem pode trazer surpresas para os estudiosos que, muitas vezes, ignoram tal associação[55]. Nesse sentido, uma outra faceta da libertinagem de costumes é bastante instigante, sobretudo para quem estuda a obra do criador da Sociedade dos Amigos do Crime: as inúmeras sociedades secretas libertinas que se formam a partir do século XVIII.

---

[52] Annie Le Brun, *Soudain un bloc d'abîme, Sade*, op. cit., p. 51.

[53] Pierre Guiral dirá que "o século XVIII foi um século de crueldade" ao traçar algumas semelhanças entre os "gostos bizarros" de Sade e do marquês de Antonelle. "Un noble provençal...", in *Le Marquis de Sade*, Armand Colin (org.), op. cit, p. 82.

[54] Além dos relatos de época, como *Les Nuits de Paris*, de Restif de la Bretonne, consultar também o livro de Eugene Duehren (pseudônimo de Iwan Bloch), *El marqués de Sade y la Europa del siglo XVIII y XIX*, México, Ediciones Pavlov, s.d., que, embora publicado em 1904, continua sendo uma das poucas obras a tecer relações entre a libertinagem histórica e a ficcional.

[55] O único trabalho que conheço em que se tematiza essa associação é o de Jean-Claude Bonnet, "Sade historien", in *Sade, écrire la crise*, op. cit., 1983, afirmando que o marquês está inserido na polêmica setecentista que opõe os eruditos e os filósofos. Bayle, Montesquieu, Voltaire e Diderot serão alguns dos filósofos que "tomam o partido da história", considerando-a novo e importante domínio do conhecimento ao qual a filosofia não pode dar as costas. Assim também procederá Sade (p. 133).

Jean-Luc Quoi-Bodin, num criterioso levantamento da bibliografia histórica sobre o tema, aponta a existência de mais de cem associações desse tipo existentes na primeira metade do século XVIII em Paris, entre elas a Ordre des Frères de l'Union, a Ordre des Frères d'Apollon, a Société du Moment, a Aphrodités, a Ordre de Cythère[56], que se intitulam "sociedades do prazer", seguindo o modelo da maçonaria:

> Ao princípio maçônico de reunião em torno de uma mesma representação do Homem segundo a ordem da razão opõe-se a representação do Homem segundo a ordem da sensualidade. À concepção da humanidade para além do espaço e da duração opõe-se a concepção de Homem confinado na instantaneidade fugaz do desejo.[57]

Além de se inspirarem no movimento maçônico, exemplo de organização oculta, os clubes libertinos são também resultantes do desregramento dos costumes que ocorre sobretudo após 1715. Como conseqüência dessa combinação de fatores surge um novo tipo associativo:

> A idéia de uma associação das inclinações pessoais de tal ou tal tipo de prazer sensual não é nova (Ordre de la Boisson, 1705; Ordre de la Méduse, 1712), e sim sua associação em categorias e sua normalização. (...) Um só desvio — no sentido que o entendem os psicanalistas — pode servir de critério associativo: a consciência de uma singularidade de costumes criada por uma minoria à qual ela se limita, uma conivência, um lugar social de tipo novo, mesmo se ele é artificial ou efêmero.[58]

Essas sociedades secretas têm, portanto, perfis diversos. Quoi-Bodin, ao comparar a Ordre de la Félicité à Ordre Hermaphrodite, observa significativas semelhanças e diferenças entre ambas. Uma curiosa familiaridade está no fato de as duas ordens utilizarem um vocabulário secreto, empregando termos da marinha para designar suas atividades, notadamente aquelas que dizem respeito à sensualidade[59]. A principal diferença é que a Ordre de la Félicité se diz uma sociedade hedonista, dedicada à galanteria, "talvez um pouco erótica", mas "sem excessiva licenciosidade", enquanto a Ordre Hermaphrodite se declara uma associação voltada à prática erótica, dedicando-se à organização de "santas orgias" e a todas as formas de deboche.

---

[56] Esta última é citada por Sade numa passagem de *Justine*, aludindo aos seus aristocráticos membros.

[57] Jean-Luc Quoi-Bodin. *Les Six Livres de la République*. Paris, Fayard 1986, p. 82.

[58] Idem, ibidem, p. 82.

[59] Quoi-Bodin (*Les Six Livres de la République*, op. cit., p. 73) reagrupou os 254 termos utilizados em quatro rubricas: termos utilitários (vida social, doméstica), 157 palavras; atividade amorosa e sexual, 67; partes do corpo, 20; a mulher, 15.

"Essas duas correntes, hedonista e libertina, subsistem até o extremo fim do século XVIII, refletindo muito exatamente a marcha de uma sociedade que se desejava ao mesmo tempo sensual e sensível"[60], diz Quoi-Bodin. Desejo de difícil conciliação que gerou não apenas essas diferentes formas de associação que os clubes eróticos revelam, mas também um vigoroso e longo debate entre os escritores libertinos, gravitando em torno da temática dos sentimentos. Ou, mais propriamente, do amor.

Vale observar desde já que essa polêmica repõe a questão dos diversos gêneros de libertinagem; vejamos rapidamente por quê. Um autor como Restif de la Bretonne, por exemplo, quando afirma o desejo de escrever "um livro em que os sentidos falam ao coração", deixa claro seu objetivo de harmonizar o sentimento amoroso e a volúpia carnal, apresentando assim uma concepção que, se não hegemônica, é bastante comum na literatura libertina setecentista. Semelhante intenção encontramos num romance como *Teresa filósofa*, cuja história desenvolve-se a fim de demonstrar ao leitor a viabilidade dessa concepção, ao sugerir a maneira mais adequada de fazer convergir a paixão da carne e a paixão do coração. Relatando de forma progressiva cada passo da iniciação sexual da personagem até seu defloramento, esse livro, como observa Renato Janine Ribeiro, "não trata de qualquer defloramento, mas de um que seja fruto do desejo e mesmo do amor: Teresa só será penetrada quando o quiser plenamente, e pelo melhor homem possível em suas condições"[61].

Não é simples coincidência o fato de que outro romance, editado na Inglaterra em 1748 — exatamente o mesmo ano em que o marquês d'Argens, suposto autor de *Teresa*, publica seu livro na França —, traga a mesma proposta de equilíbrio entre prazer e sentimento. É o caso de *Fanny Hill ou Memórias de uma mulher de prazer*, de John Cleland[62]: assim como Teresa, a jovem Fanny só é deflorada pelo homem que ama e, ainda que suas aventuras eróticas pelos bordéis londrinos sejam bem mais devassas que as narradas pela aprendiz de filósofo, tudo termina na mais perfeita harmonia, com a heroína rica e feliz ao lado de seu amado. Essas personagens não precisam renunciar à sexualidade para amar — como acontece com suas contemporâneas Clarissa e Pamela, as jovens melodramáticas de Richardson —, nem tampouco rejeitar o amor para realizar os prazeres da carne.

---

[60] Quoi-Bodin, *Les Six Livres de la République*, op. cit., p. 82.

[61] Renato Janine Ribeiro, prefácio a *Teresa filósofa*, Porto Alegre, LP&M, 1991, p. 11.

[62] John Cleland. *Fanny Hill ou Memórias de uma mulher de prazer*, Eduardo Francisco Alves (trad.). São Paulo, Estação Liberdade, 1997.

Ora, se tomarmos os personagens donjuanescos — que, sabemos, ocupam lugar privilegiado na literatura libertina do século XVIII —, veremos que eles defendem uma concepção bastante diferente daquela apresentada por Teresa ou Fanny. Para esses — a exemplo de uma marquesa de Merteuil, de Laclos — é fundamental negar o sentimento amoroso em função da eficácia da sedução, isto é, do cálculo preciso e infalível a lhes garantir a conquista, seu objetivo último. Essa mesma vertente evidencia-se nos libertinos sadianos que, não menos cerebrais que os tipos donjuanescos, também rebaixam a paixão amorosa diante da razão: "Não existe amor que resista aos efeitos de uma sã reflexão", conclui o personagem de *La philosophie dans le boudoir*[63].

Porém, mais do que isso, para os devassos de Sade é quando colocado à prova do prazer que o sentimento amoroso desmorona por completo: "Amo demais o prazer para ter uma só afeição", vangloria-se a lúbrica Mme. de Saint-Ange diante do cínico Dolmancé, que completa:

> Oh! Como é falsa essa embriaguez que, absorvendo os resultados das sensações, coloca-nos num tal estado que nos impede de enxergar, que nos impede de existir sendo para esse objeto loucamente adorado! É isso viver? Não será, antes, uma privação voluntária de todas as doçuras da vida?[64]

Assim, por desprezar os "gozos metafísicos" que esse sentimento produz nos indivíduos, tornando-os dependentes e fracos, os libertinos sadianos só reconhecem a insaciabilidade da carne. Ao amor que escraviza eles contrapõem a libertinagem, força libertadora a emancipar o indivíduo das indesejáveis dependências, fazendo-o recuperar o estado original de egoísmo e isolamento de que foi dotado pela natureza[65].

Estes poucos exemplos já são suficientes para indicar que a literatura licenciosa também caminhou lado a lado com a libertinagem de costumes. Às diferentes correntes dos clubes secretos correspondem as distintas posições acerca do amor expressas nesse gênero literário; isso sugere que a sociedade do século XVIII exigiu de seus contemporâneos não só uma profunda reflexão sobre o prazer, mas também uma opção definida quanto às suas práticas. A unidade entre pensamento e sensualidade defendida pelos libertinos de espírito certamente foi, para alguns homens setecentistas, uma experiência efetiva. Entre eles, o marquês de Sade, um radical.

---

[63] Sade, *La Philosophie dans le boudoir*, op. cit., p. 480.
[64] Idem, ibidem.
[65] Desenvolvi esse tema em "Um outro Sade", prefácio a *Os crimes do amor*, op. cit., pp. 7-20.

DO SALÃO AO *BOUDOIR*

Essas notas circunscrevem o campo de referências da obra de Sade: de um lado, a filosofia libertina, que privilegiava as relações entre sensualidade e pensamento, tendo como matriz a fonte clássica do estoicismo e do epicurismo; de outro, a história da libertinagem, referida a seus antecedentes, mas sobretudo tratada na dualidade com que se apresenta no século XVIII, definida segundo "os costumes" ou "o espírito". Inúmeras questões decorrem dessas observações.

Ao examinarmos a filosofia libertina à luz dos registros históricos sobre os devassos setecentistas temos a impressão de que existe uma distância insuperável entre os libertinos eruditos e os de conduta. Ora, não parece estranho que justamente um pensamento que deseja levar em consideração a experiência sensível, rejeitando a cisão espírito/carne, descarte qualquer relação com a prática libertina? Ou será que, entre os livres-pensadores que freqüentavam o salão de d'Holbach, havia quem compartilhasse o deboche dos companheiros do Regente? De outro lado, seriam os devassos de conduta leitores desses filósofos eruditos? Que qualidade de relações teria existido entre os diversos tipos de textos considerados libertinos (filosofia, romance, *libelle* etc.)?

Ainda que não seja possível responder a todas essas perguntas, podemos ao menos levantar algumas hipóteses a fim de esclarecer o gênero de libertinagem a que se vincula a obra de Sade. Segundo Sérgio Paulo Rouanet, desenvolveu-se entre as duas correntes libertinas do século XVIII "uma relação de complementaridade: uma divisão de trabalho pela qual os filósofos se encarregavam de minar os alicerces políticos do Ancien Régime, e os autores libertinos seus alicerces morais". Assim, continua ele,

> os filósofos forneceram os argumentos teóricos de que os romancistas libertinos precisavam para justificar a legitimidade do erotismo, e estes retribuíram o favor, funcionando como linha auxiliar na crítica do Ancien Régime, e difundindo, em suas novelas, as idéias políticas e sociais da llustração.[66]

Assim é que, em *Teresa filósofa*, a idéia do corpo enquanto máquina aparece tanto para divulgar as concepções materialistas de La Mettrie e de d'Holbach quanto para justificar os prazeres carnais que Teresa se proporciona

---

[66] Sérgio Paulo Rouanet. "O desejo libertino entre o Iluminismo e o Contra-Iluminismo", in Vários autores. *O desejo*. São Paulo, Companhia das Letras, 1990, p. 168.

"automaticamente". A jovem filósofa aludirá à gravidez como "mecanismo da fábrica de homens" e à sexualidade como "mecânica dos prazeres do amor", fazendo eco às teorias que concebem o ser humano unicamente como físico, organizado segundo as matérias que o compõem. Da mesma forma, em *L'éducation de Laure*, romance libertino do voltairiano Mirabeau, o personagem principal aconselha à heroína a leitura de *Zadig*, para que ela se familiarize com os princípios do determinismo ao mesmo tempo em que se prepara para novas experiências sensuais.

Os exemplos se multiplicam e mostram que, para além das relações de "auxílio mútuo" ou "complementaridade" enfatizadas, por Rouanet, a literatura licenciosa cumpre, no século XVIII, o importante papel de testar as teorias iluministas, sobretudo aquelas produzidas pela vertente materialista da Ilustração. Para uma filosofia particularmente voltada ao tema das sensações essa literatura vai propor o desafio de suas alcovas lúbricas, laboratórios perfeitos onde a experiência e a imaginação estão a serviço da matéria, e onde as idéias *só* ganham estatuto de verdade ao tomar corpo.

Por isso, quando o marquês de Sade, em 1795, escreve *La Philosophie dans le boudoir* — afirmando a alcova libertina como lugar para onde convergem a filosofia e o erotismo — ele está, antes de mais nada, realizando uma notável síntese de toda uma tradição de pensamento. Tradição essa que, embora encontre na literatura licenciosa setecentista a sua expressão mais bem acabada, remonta, como vimos, ao final do século XVI, com os pensadores que opõem aos ensinamentos da fé as constatações da experiência cotidiana e da percepção sensorial, e se mantém viva durante todo o século seguinte.

Porém, se aos romancistas libertinos do século XVIII cabe o mérito de reunir a libertinagem erudita e o deboche de conduta, ao marquês cabe uma glória, ainda maior: a de deduzir, dessa síntese, tal ordem de conseqüências até então jamais concebida, e sobretudo de propor, a partir daí, seu próprio sistema filosófico. Ao transportar a filosofia para a alcova, Sade não só coloca em prática as teorias do primado das sensações no homem, tão em voga entre os simpatizantes do materialismo na época, como também demonstra que a experiência da crueldade é a única conseqüência lógica a ser tirada dessas teorias. E, assim, funda um sistema em que pensamento e corpo unem-se para realizar a experiência soberana do mal, tendo como força motriz a relação entre prazer e dor. A isso seus libertinos dão o nome de "filosofia lúbrica".

Para realizar tal empresa o marquês irá recorrer a um grande número de fontes, a princípio até discrepantes, reunindo em sua obra o barão de d'Holbach e o duque de Orléans, La Mettrie e o duque de Charolais, Lucrécio e o cardeal

Bernis, Buffon e o marquês d'Argens, entre tantos outros. Essa diversidade de referências é normalmente interpretada a partir da chave do "excesso", princípio de acumulação vertiginosa que caracterizaria o pensamento sadiano. Ora, o problema é que, sendo mais conceitual que histórico, esse princípio muitas vezes impede o reconhecimento das fontes em questão, e, por conseqüência, o próprio acesso ao pensamento de Sade. Torna-se, pois, necessário levar em conta a complexidade do marquês, e interpretar esse excesso tendo em vista a pluralidade de elementos em jogo na obra de um autor que, além de libertino, também foi literato, filósofo e historiador da libertinagem.

E não é assim que ele pede para ser lido? Deixemos com ele a última palavra, recordando essa bela passagem de uma carta a Mlle. de Rousset:

> A águia, senhorita, é, às vezes, obrigada a deixar a sétima região do ar para vir se abaixar sobre o cume do monte Olimpo, sobre os antigos Pinheiros do Caucásio, sobre o frio larício do Jura, sobre o branco píncaro do Taurus, e algumas vezes mesmo perto das pedreiras de Montmartre. Sabemos pela história (pois a história é uma coisa bela) que Catão, o grande Catão, cultivava seu campo com suas próprias mãos, Cícero alinhava, ele mesmo, as árvores nas belas alamedas de *Formies* (não sei se também eram podadas), Diógenes dormia num tonel, Abraão fazia estátuas de argila, o ilustre autor de *Télémaque* fazia pequenos copos para Mme. Guyon, Piron deixava às vezes os sublimes pincéis de *la Métromanie* para beber vinho de *Champagne* e fazer a *Ode à Priape*. (...) E nos nossos dias, senhorita, nos nossos augustos dias, não vemos a célebre presidenta de Montreuil deixar Euclides e Barême para falar de óleo ou salada com seu cozinheiro? Eis o que vos prova, senhorita, que o homem fez muito, elevando-se acima de si mesmo, mas há instantes fatais no seu dia que, apesar disso, lhe recordam sua triste condição de animal, da qual sabeis que meu sistema (talvez por julgar segundo mim mesmo), que meu sistema, digo, não o afasta muito.[67]

---

[67] Carta a Mlle. de Rousset, enviada de Vincennes em 17 de abril de 1782.

REPERCUSSÕES

QUASE PLÁGIO: SADE E O ROMAN NOIR

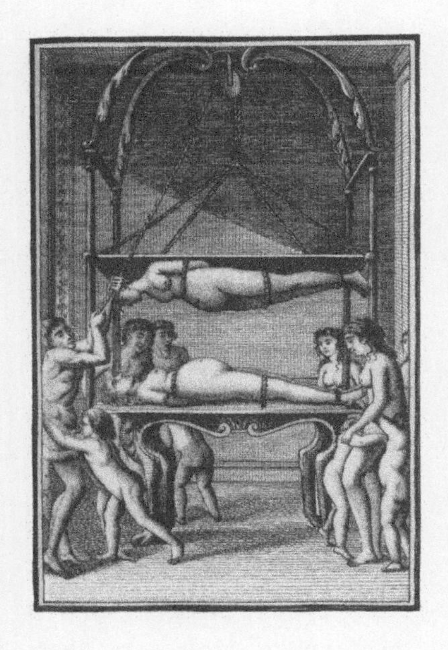

Em 1789, o *Journal de Paris* publica uma advertência ostensiva ao cidadão Pigoreau, responsável pela edição de *Valmor et Lydia ou Voyage autour du monde de deux amants qui se cherchaient*, assinada pelo editor de *Aline et Valcour*:

> A se tomar a obra pelo título, certamente [o autor] poderá se gabar de ser um dos mais ousados plagiadores da literatura, e me parece que não é oportuno copiar num século em que o público está ávido por novidade, e em que procurar por ela torna-se essencial para quem deseja ser lido. Queria abrir *Aline et Valcour ou le Roman Philosophique*, impresso na casa Girouard; nos oito volumes que contém essa obra, o senhor encontrará quatro cujo tema é nada mais, nada menos, que uma viagem ao redor do mundo de dois amantes que se procuram.[1]

Reconhece-se nessa denúncia a mão do marquês de Sade.

Aline et Valcour é uma das obras que o marquês escreve na Bastilha às vésperas da Revolução Francesa. O longo romance epistolar, bem ao gosto da época, apesar de ter esperado quase uma década para ser publicado, marca sua estréia no mercado editorial francês, em 1795. Pelo menos no nível oficial, uma vez que a edição de *Justine* em 1791, supostamente impressa na Holanda, mas editada pela mesma Girouard, havia sido clandestina. O autor tem então mais de cinqüenta anos de

[1] Citado em Gilbert Lély, *Vie du marquis de Sade*, tomo II, op. cit., p. 536.

idade, dos quais treze vividos na prisão. Na última década do século XVIII ele está em liberdade; é um período de intensa atividade literária, e, além de *Aline et Valcour*, publica as onze novelas, também escritas na Bastilha, reunidas sob o título *Les Crimes de l'amour*.

O primeiro volume dos *Crimes* é aberto pelo texto "Idée sur les romans", no qual Sade faz um balanço crítico da literatura, recolocando, numa nota de rodapé, a denúncia publicada um ano antes no jornal. Já são dois os plagiadores a quem ele acusa:

> É pois essencial para nós, neste momento, assim como para aqueles que compram romances, prevenir que a obra que se encontra à venda na casa "Pigoreau et Lepoux", sob o título de *Valmour et Lydia*, e na casa "Cerioux et Montardin", sob o nome de *Alzonde et Koradin*, são exatamente a mesma coisa e foram ambas literalmente copiadas, frase por frase, do "episódio de *Sainville et Léonore* que formam quase três volumes de meu romance *Aline et Valcour*.[2]

É interessante que o marquês tenha escrito essas palavras em defesa da originalidade justamente ao referir-se a *Aline et Valcour*, obra destinada ao grande público, que contém, assim como as novelas dos *Crimes*, muitos dos ingredientes literários que garantiam o sucesso das publicações da época. Nessas obras, e ainda em *La Marquise de Ganges* (escrita em 1813 já no sanatório de Charenton), percebe-se claramente a adesão de Sade a um gênero que começa a se tornar extremamente popular então. E não terá sido por essa mesma razão que seu romance filosófico foi alvo de plagiadores?

Nas últimas décadas do século XVIII uma febre contamina ingleses, franceses e alemães, alastrando-se depois por quase todo o continente europeu. É a febre gótica: o *roman noir* — *genre sombre*, como propôs Baculard d'Arnaud, ou *genre anglais*, conforme Maurice Lévy — faz milhares de leitores mergulharem em suas páginas sombrias para acompanhar a trajetória de inocentes heroínas aprisionadas por tirânicos vilões em meio a ruínas de um castelo medieval. Não obstante a semelhança entre essas histórias — de acordo com Howard Phillips Lovecraft, "uma parafernália que se repete em cômica mesmice" —, seu sucesso editorial foi extraordinário. A popularidade do gênero pode ser confirmada não só pelo grande número de originais ou traduções colocadas à disposição do leitor, mas também pelas inúmeras reedições dessas obras.

---

[2] Sade, "Idée sur les romans", in *Les crimes de l'amour*, op. cit., p. 79.

O Castelo de Otranto, de Horace Walpole, será o grande modelo a inspirar o surto gótico, a começar pelos disfarces da primeira edição. Publicado originalmente em 1764 sob o pseudônimo de Onuphrio Muralto e apresentado como tradução de um antigo manuscrito italiano, foi reeditado no ano seguinte sob o verdadeiro nome do autor (que se confessa em dívida para com os leitores, dado "o modo favorável com que esta peqüena obra foi recebida pelo público"), e sofre sucessivas reedições até as primeiras décadas do século XIX.

Ambientado num sinistro castelo no sul da Itália, *Otranto* narra a peregrinação de dois amantes um à procura do outro, vítimas de um príncipe sanguinário. Esta fórmula, que Walpole confessa ter copiado de Shakespeare, será por sua vez o eixo temático dos seis romances que Ann Radcliff escreverá entre 1789 e 1802, de grande aceitação por parte do público europeu (as traduções eram quase imediatas), e, vale lembrar, é também o tema da história de *Sainville et Léonore*, cuja autoria é reclamada por Sade.

Ao que tudo indica estamos diante de uma cadeia de imitadores. Também nesse sentido Walpole é exemplar. Ainda no prefácio à segunda edição do livro, referindo-se ao modelo shakespereano, ele afirma: "... orgulho-me mais de haver imitado, se bem que de forma assaz débil e a muita distância, tal padrão, do que haver inventado fosse o que fosse, uma vez que não posso gabar-me de ter acrescido à originalidade da obra a genialidade"[3]. Um gênero que nasce marcado pelo plágio. Senão vejamos.

Quais são os ingredientes do *roman noir*? Lovecraft fornece uma receita:

> um castelo gótico, com sua lúgubre vetustez, vastas distâncias e labirintos, alas abandonadas ou em ruínas, corredores úmidos, catacumbas malsãs escondidas e uma procissão de fantasmas e de lendas tenebrosas, como núcleo de suspense e demonismo assustador. Além disso o nobre tirânico e perverso como vilão; a heroína inocente, perseguida e geralmente insípida que é a vítima dos principais horrores e serve como ponto de vista e foco de simpatias do leitor; o valente e impoluto herói, sempre de nascimento nobre mas freqüentemente em disfarce humilde; a convenção de sonoros nomes estrangeiros, o mais das vezes italianos, para os personagens; e toda uma série de artifícios teatrais entre os quais estranhas luminosidades, alçapões apodrecidos, lâmpadas que não se apagam, manuscritos bolorentos escondidos, gonzos rangentes, cortinas agitadas, e por aí afora.[4]

---

[3] Horace Walpole, prefácio do autor à segunda edição de *O Castelo de Otranto*. Lisboa, Estampa, 1978, p. 30.
[4] Howard Phillips Lovecraft. *O horror sobrenatural na literatura*. Rio de Janeiro, Francisco Alves, 1987, pp. 15-16.

Para quem achar demasiadamente caricatural essa receita, atribuindo-a a seu anacronismo, vale consultar outra, publicada em 1798 pelo *Le Spectateur du Nord*:

> Um castelo velho que está em ruínas pela metade; um longo corredor com várias portas, muitas das quais devem estar fechadas; três cadáveres ainda sangrando; três esqueletos bem embalados; uma velha enforcada com alguns golpes de punhal na garganta; ladrões e bandidos escondidos; uma dose suficiente de cochichos, de gemidos sufocantes e de *horríveis* fracassos; todos esses ingredientes bem misturados e distribuídos em três porções, ou volumes, dão uma excelente mistura que todos aqueles que não têm sangue negro podem tomar no banho antes de se deitar. Os efeitos são os melhores. *Probatum est...*[5]

Na verdade, esse público que Sade afirma estar "ávido por novidade" trava um pacto de absoluta fidelidade com os protagonistas das histórias góticas, transformando livros como *Vathek*, de William Beckford (1782), *Pauliska ou la perversité moderne*, de Révéroni Saint-Cyr (1798), *The Monk*, de Matthew Gregory Lewis (1796), ou, mais tardiamente, *Melmoth the Wanderer*, de Charles Robert Maturin (1820), em ponto de encontro do imaginário europeu. Na trilha aberta por Walpole, passará mais de uma geração de escritores que se situa nas tênues fronteiras entre o romantismo e a literatura fantástica: Walter Scott, Baculard d'Arnaud, E.T.A. Hoffmann, o marquês Von Grosse, o barão de la Motte-Fouqué, Edgar A. Poe, Charles Nodier, Mary Shelley e Bram Stoker, que dá ao gênero um de seus filhos mais tardios, mas nem por isso menos nobre.

Não são, porém, os notáveis que mais interessam nesse caso. Nem tampouco os inúmeros descendentes da linhagem gótica. Na passagem do século XVIII para o XIX, o *roman noir* é marcado sobretudo pelo anonimato. De cada três livros publicados, dois são anônimos; proliferam os pseudônimos e as edições clandestinas; aumentam significativamente as acusações de plágio. Walpole confidencia a um amigo, com certa dose de prazer, que *The Old English Baron*, de Clara Reeve, surgido em 1777, nada mais é que "uma história abertamente copiada" de seu *Otranto*. Mas, a essa altura, já é difícil reivindicar a autoria das idéias. Tamanha é a convergência entre escritores e leitores que as fronteiras entre quem escreve e quem lê vão se tornando fluidas, moldando uma única sensibilidade, compartilhada anonimamente e difundida por uma indústria literária já em pleno desenvolvimento.

Por certo podemos vincular a literatura gótica à consolidação de um mercado editorial que, na França, é marcado pelo surgimento da chamada *littérature de*

---

[5] Citado em Fabre, "Sade et le roman noir", op. cit., p. 259.

colportage, inaugurada pelas *histoires tragiques*, filiadas à sensibilidade barroca. No século XVII proliferam esses extensos relatos, pretensamente históricos ou verídicos, cujo eixo central gira em torno de uma trama melodramática que enfatiza a temática dos infortúnios. Essas histórias exemplares começam a consolidar o gênero folhetinesco, preocupado em se identificar a uma estética popular, produzidas numa escala que já permite a denominação de "industrial".

Porém, se no campo da produção deste tipo de literatura podemos perceber a fixação de um padrão de leitura popular que, *grosso modo*, caminha das históricas trágicas do século XVII ao *roman noir* setecentista e dele aos folhetins oitocentistas, as razões da popularidade do gênero não se esgotam aí. O *roman noir* vai compor um novo cenário para os infortúnios, e, a partir de *Otranto*, quando a Europa protestante empresta às histórias trágicas a atmosfera gótica, sua repercussão é tão ampla e profunda que exige uma interpretação que transcenda os limites da produção para adentrar os espaços da criação e da recepção. Neste sentido, a leitura que os surrealistas fazem é bastante sugestiva[6].

André Breton percebe "ressonâncias profundamente modernas" na excessiva ingenuidade, no mau gosto mesmo, na "inquietante estranheza" que caracteriza o *roman noir*, dizendo, em 1933, que

> se podia pegar qualquer um desses livros e abri-los ao acaso que dali se evaporava sabe-se lá que perfume de floresta sombria e de altas abóbadas. Suas heroínas, mal esboçadas, eram implacavelmente belas. Nada de mais excitante que essa literatura ultra-romanesca, arqui-sofisticada. Todos os castelos, de Otranto, de Udolphe, dos Pirineus, de Lovel, de Athlin e de Dunbayne, percorridos por grandes lagartos e carcomidos por subterrâneos, no canto mais tenebroso de meu espírito persistiam em viver sua vida artificial, em apresentar sua curiosa fosforescência.[7]

Brilho que atrai o olhar de Breton, fixando-o, sobretudo, em duas particularidades do *roman noir*: na imagem do castelo e no método de trabalho de seus escritores.

---

[6] A geração surrealista terá especial fascínio pela atmosfera gótica do *roman noir*, assim como será a grande responsável por retirar Sade do ostracismo a que fora condenado no século XIX, batizando-o de "divino marquês" e dando-lhe um lugar de honra nos cenários da modernidade. Buñuel conta em seu livro autobiográfico como os livros de Sade, bastante raros então, eram disputados entre os surrealistas. Péret escreve um estudo meticuloso sobre o gênero, "Actualité du roman noir"; Éluard prefacia uma das edições de *O Castelo de Otranto*; Artaud adapta o clássico de Lewis, *The Monk*. Mas é em André Breton que a preocupação com o gênero gótico ganha maior expressão, preocupação que perpassa toda a sua obra, do primeiro manifesto de 1924 ao prefácio à edição francesa de 1954 do clássico de Maturin, *Situation de Melmoth*.

[7] André Breton. *Les Vases communicants*. Paris, Gallimard, 1955, p. 134.

"Observatório do céu interior", é assim que Breton define os castelos góticos, sublinhando: "quero dizer observatórios construídos, no mundo exterior naturalmente. Esta seria, poder-se-ia dizer do ponto de vista surrealista, a *questão dos castelos*". E, adiante, propõe uma atualização dessa imagem, não sem certa dose de ironia:

> O psiquismo humano, naquilo que ele tem de mais universal, encontrou no castelo gótico e seus acessórios um lugar de fixação tão preciso que faz com que seja necessário saber qual é para nossa época o equivalente de tal lugar. (Tudo leva a crer que não se trata de uma usina.)[8]

Num face a face com os fantasmas, os protagonistas do *roman noir* percorrem regiões sombrias da consciência, afirmando *outra* coerência para o pensamento e construindo um lugar para abrigá-la: "é à irrealidade deste castelo que a realidade humana será colocada a prova"[9]. Com efeito, o castelo *noir* é o refúgio de personagens melancólicos e noturnos, a encenar o paradoxo de uma estranha clausura que os encerra num espaço absolutamente fechado, mas de proporções monumentais. Um espaço que se abre para dentro de si mesmo; convite ao delírio, à alucinação, ao fantástico (não faltarão, nessas histórias, personagens sonâmbulos, loucos, assaltados por desmaios e doenças de etiologia obscura), que se faz anunciar também na imagem das ruínas: inacabamento permanente, lançando a imaginação à vertigem de sua liberdade, engendrando sua infinitude.

Lugar arcaico e ponto de partida da modernidade, a arquitetura gótica do *roman noir* representa "a primeira tentativa de edificar uma habitação humana entre o nada e o absoluto"[10], diz Annie Le Brun, retomando a arqueologia inaugurada pelos surrealistas. A "questão dos castelos" inquieta essa geração porque ela toca num ponto nevrálgico da sensibilidade moderna: a afirmação de objetos imaginários. Éluard diz que em *Otranto* o "castelo é o herói", Breton encontra nele seu "objeto fantasma", Man Ray desenha um Sade de pedra. Afirma-se a representação mental em detrimento da percepção, edificam-se os sonhos. Uma realidade subjetiva concretiza-se nesses castelos, reinados do onírico.

Otranto nasce de um sonho. Walpole, em 1765, escreve a seu amigo William Cole:

---

[8] André Breton, "Limites non-frontiéres du surréalisme", in *La Clé des champs*. Paris, Pauvert, 1953, p. 22.
[9] Annie Le Brun, *Soudain un bloc d'abîme. Sade*, op. cit., p. 161.
[10] Idem, ibidem, p. 54.

> Quer que eu lhe diga qual a origem deste romance? Numa manhã, no início do mês de junho passado, acordei-me de um sonho, e tudo que pude lembrar-me dele foi que me encontrava dentro de um velho castelo (sonho bastante natural para um espírito repleto, como o meu, de "romance" gótico). Sob a rampa mais elevada de uma grande escada eu via uma gigantesca mão revestida por uma armadura. A noite mesmo, sentei-me e comecei a escrever, sem saber de forma alguma o que iria dizer ou contar. Em suma, estava eu tão absorto em meu relato (terminado em menos de três meses) que uma noite comecei a escrever logo depois do chá, por volta das seis horas, até uma e meia da madrugada e meus dedos se cansaram tanto que eu mal podia segurar a pena.[11]

A matriz é um sonho, a escrita, automática. Como não encantar os surrealistas? Como não reconhecer o método também em Sade que escreve em 1785, na Bastilha, o monumental *Les 120 journées de Sodome* em trinta e sete dias, manuscrito em que admite ter trabalhado de dez a doze horas por dia? Uma escrita que se conecta com o inconsciente. Mas, mais do que isso, Breton percebe o caráter mítico do automatismo gótico, seu engate com uma inconsciência coletiva, em que estavam guardadas as imagens por meio das quais se enunciava *clandestinamente* a época. Daí ele interrogar-se sobre o equivalente da imagem do castelo no nosso século: não seriam, certamente, as usinas, tão *óbvias*. Daí também se perguntar sobre "a elaboração do *mito coletivo* próprio da nossa época, da mesma forma que, de bom ou mau grado, o gênero *noir* deve ser considerado como patognomônico da grande crise social que devasta a Europa no fim do século XVIII"[12].

Na medida em que percorremos a interpretação de Breton, torna-se difícil associar o surto gótico ao plágio; é como narrativa mítica que o *roman noir* se enuncia. O sonho particular de Walpole era também um sonho coletivo. Era inevitável que o automatismo se tornasse imediatamente plural, e certamente foi muitas vezes impossível compatibilizar a imaginação plural e automática com o respeito à autoria. Além disso, convém lembrar que, se alguns autores insistiram em reivindicá-la, outros persistiram em se esconder por detrás de pseudônimos, propondo um jogo de disfarces no qual se diluíam as identidades.

"Uma narrativa sem sujeito", é como Philippe Boyer define o mito, completando "mesmo se pode identificar o seu redator, é menos como escritor que ele opera do que como escriba fazendo eco ao que já circula desta verdade da qual o mito é portador e portado"[13]. Definição que serve perfeitamente a esses

[11] Citado em Le Brun, ibidem, p. 150.
[12] André Breton, "Limites non-frontiéres du surréalisme", op. cit., p. 21.
[13] Philippe Boyer, "O mito no texto", in *Atualidade do mito*, São Paulo, Duas Cidades, 1977, pp. 82-83.

autores e leitores anônimos, fechados em seus observatórios, a excursionar pelos interiores de um espaço infinito: *escribas* dos fantasmas que assombram a época, elaborando o grande mito coletivo que vai abalar definitivamente os edifícios do pensamento clássico e os alicerces da noção de sujeito.

Sade, situando-se nos lugares mais clandestinos deste mito (diríamos: já nas suas fronteiras ou talvez já nas dobras de um outro inconsciente), é talvez o eco mais radical dessa verdade. "Extrémité de la rêverie"[14], nas palavras de André Masson. Entende-se, portanto, sua proximidade com os góticos e, certamente, a ela deve o fato de ter conseguido publicar algumas de suas obras, notadamente as que mais se aproximam do gênero. Mas como sujeito de uma autoria ele se percebe frágil diante do monumental edifícil gótico que ajudou a construir, e protesta contra este "tempo em que tudo parece *já feito*, em que a imaginação esgotada dos autores parece incapaz de criar algo de novo, e em que apenas se oferece ao público compilações, resumos ou traduções"[15]. É que, nesse momento, a voz individual perdia-se diante do grande eco, a circular nos subterrâneos do imaginário coletivo.

Aquém ou além do plágio, na região opaca do *quase*, uma verdade mítica instala-se a partir de meados do século XVIII, inaugurando o novo em meio a ruínas de um velho castelo, e alojando nessa construção uma sensibilidade que começava a brilhar de sua clandestinidade. Descoberta coletiva e inconsciente, o *roman noir* transborda os limites de um gênero para tornar-se uma terra de ninguém.

[14] Devaneio levado ao extremo.

[15] Sade, "Idée sur les romans", op. cit., p. 41.

O "DIVINO MARQUÊS" DOS SURREALISTAS

"Sade é surrealista no sadismo" — a frase publicada no primeiro *Manifesto do Surrealismo*, em 1924, não deixa dúvidas quanto a admiração que André Breton e seus companheiros devotavam ao marquês já nos primórdios do movimento. Ao lado de algumas das afinidades eletivas do grupo — como Chateaubriand, Baudelaire, Rimbaud, Jarry ou Roussel —, o autor de *Justine* era aclamado pelos signatários do manifesto, não por seus feitos como homem de letras ou filósofo, mas sim por aquilo que lhe era mais próprio, ou seja, pela singularidade de um imaginário erótico ao qual seu nome estava definitivamente vinculado.

A leitura surrealista de Sade concentrava-se, portanto, nos domínios do desejo. O que atraía os membros do grupo em direção ao pensamento sadiano era justamente a onipotência do desejo, que os escritos do marquês não só cultivavam como também exaltavam nas dimensões mais imperiosas, radicais e violentas. Aos olhos dos surrealistas, essa exaltação se revelava ao mesmo tempo lúcida e irracional, reafirmando a relação entre erotismo e liberdade que estava no centro das convicções do grupo. Como, então, não saudar aquele absoluto do desejo que, tornado plena consciência de si, só encontrava satisfação no desregramento sistemático, no desvario contínuo, na desmedida sem limites, recusando toda forma de ordem para afirmar o caráter ilimitado do exercício da liberdade?

É bem verdade que, antes mesmo de Breton e seus amigos "descobrirem" o marquês, alguns autores do século XIX já haviam alertado para a importância de seus livros. De fato, toda uma linhagem de escritores oitocentistas havia se interessado pela obra sadiana, como comprova a frase de Sainte-Beuve, publicada em 1843 na *Revue des Deux Mondes*. "Ousarei afirmar, sem receio de ser desmentido, que Byron e Sade — peço perdão pela aproximação — talvez tenham sido os maiores inspiradores de nossos modernos, o primeiro público e visível, o segundo clandestino, mas nem tanto"[1].

Sabe-se realmente que a leitura de *Justine* foi útil a Balzac em seu aprendizado do *roman noir*; deliciou Flaubert, que dizia identificar-se com Minski, o antropófago da *Histoire de Juliette*; e inquietou Stendhal, interessado pelos libertinos do século XVIII, que "faziam do prazer sua única ocupação". Mas, para além de Balzac, Flaubert e Stendhal, os "livros malditos" do marquês haviam ainda cativado autores como Chateaubriand, Baudelaire ou Lamartine, de quem os surrealistas se consideravam herdeiros diretos.

Por certo, a atenção que esses escritores reservaram a Sade não pode ser superestimada. Apesar das palavras de Sainte-Beuve, e ainda que seja possível fazer algumas aproximações temáticas — como no caso dos três poetas citados —, talvez seja inadequado supor um campo ativo de influências literárias. A menos que tomemos o exemplo isolado de Swinburne que, obcecado pelo tema do suplício e das flagelações, evocava inúmeros personagens e cenas sadianas em seus escritos, chegando a redigir uma *Apologia de Sade*, na qual afirmava que "em suas páginas malditas sopra um arrepio do infinito". Mesmo assim, foi preciso esperar o século XX para que o marquês viesse a ser definitivamente divinizado.

Em 1909, Guillaume Apollinaire publicou uma antologia de escritos e uma breve biografia de Sade, onde homenageava aquele que considerava "o espírito mais livre que jamais existiu no mundo". Com estas palavras, estava dado o primeiro passo para que o autor de *La Philosophie dans le boudoir* fosse descoberto pelas vanguardas européias do início do século XX, com especial destaque para a geração que se reunia em torno do surrealismo, que lhe conferiu um lugar de honra no cenário da modernidade. Batizado de "divino marquês", Sade tornou-se referência decisiva para o grupo, independentemente das divergências ideológicas e estéticas que se desenvolveram no seu interior.

Não são poucas as alusões à obra sadiana e à figura de seu criador nas produções artísticas da época. Artaud — que reverenciava a personalidade "sádica" do imperador romano Heliogábalo — incluiu a novela sadiana "Eugénie de

[1] Citado por Claude Duchet, "L'Image de Sade a l'époque romantique", in *Le Marquis de Sade*, Armand Colun (org.). Paris, Armand Colin, 1968, p. 225.

Franval", adaptada por Pierre Klossowski sob o nome "Château de Valmore", no primeiro manifesto do teatro da crueldade. Breton, depois de destacá-lo como um dos mais importantes surrealistas *avant la lettre* no texto fundante do movimento, reafirmou "a perfeita integridade da vida e do pensamento de Sade" no *Segundo Manifesto*, de 1930, aludindo à sua "necessidade heróica de criar uma ordem de coisas que em nada dependesse do que havia ocorrido antes dele"[2].

Com esse mesmo espírito, vários artistas ligados ao grupo — entre eles, Man Ray, Toyen, Magritte, Salvador Dalí, Hans Bellmer e André Masson — valeram-se do imaginário sadiano como fonte de inspiração para seus trabalhos; pensadores do porte de Georges Bataille, Michel Leiris, Robert Desnos e Octavio Paz dedicaram-lhe diversos artigos; Pierre Klossowski escreveu sobre ele um livro importante ao qual deu o sugestivo nome de *Sade, mon prochain*[3]; no cinema, surgiu Buñuel, que inseriu cenas libertinas retiradas dos romances do marquês na maior parte de seus filmes. Do domínio da estética, a figura do criador da Sociedade dos Amigos do Crime saltou também para o da política: o grupo francês Contre-Attaque que em meados dos anos 1930 reunia a intelectualidade da esquerda independente na luta conta o fascismo tinha uma facção (à qual pertenciam Breton e Bataille) chamada "Sade". Enfim, como já afirmou um estudioso do tema, Sade era "a pessoa certa para o surrealismo"[4].

Com efeito, até mesmo as pesquisas mais sistemáticas sobre a vida do autor foram iniciadas e desenvolvidas por intelectuais ligados ao movimento. O primeiro deles foi Maurice Heine, que em 1924 fundou a Sociedade do Romance Filosófico, cujo objetivo era "publicar os *dijecta membra* de Sade"; foi ele o responsável pela recuperação dos preciosos manuscritos das *120 journées de Sodome*, livro que editou em tiragem de 396 exemplares, na década de 1930. Seu trabalho foi continuado, com igual vigor, por Gilbert Lély, que encontrou diversos inéditos e escreveu, nos anos 1950, os dois longos e rigorosos volumes intitulados *Vie du Marquis de Sade*. Cumpre lembrar ainda que, nessa mesma época, o editor Jean-Jacques Pauvert — que mais tarde assinaria outra biografia do autor — lançava pela primeira vez a obra completa do escritor libertino, numa iniciativa pioneira que lhe rendeu um processo na justiça francesa, acusado de "desacato à moral e aos bons costumes".

Enfim, não importa em que domínio fosse — estético, editorial, político ou filosófico —, Sade revelou-se presença constante e intensa ao longo de toda a

[2] André Breton. *Second manifeste du surréalisme*, in *Œuvres Complètes*, tomo I. Paris, Gallimard, 1988, p. 827.
[3] Pierre Klossowski. *Sade, meu próximo*. São Paulo, Brasiliense, 1985.
[4] J. H. Matthews. "The right person for surrealism", in Yale French Studies, *Sade*, n. 35. New Haven, Eastern Press, 1965.

aventura surrealista. Prova disso é que de *Littérature* a *l'Archibras* — ou seja, de 1920 a 1968 — não se encontra sequer um exemplar de qualquer uma das inúmeras revistas do grupo que não tenha ao menos uma nota sobre o "divino marquês". E, como se fosse preciso reiterar ainda mais essa evidência, até mesmo a última grande exposição do movimento foi organizada sob a égide de Sade: a *Exposition InteRnatiOnale du Surréalisme, 1959-1960*, ao insistir na violência poética do erotismo, rendia homenagem definitiva ao criador do sadismo, que Breton e seus companheiros consideravam em uníssono como a "expressão extrema e desmesurada do desejo humano"[5].

* * *

Na base da admiração dos surrealistas por Sade está uma espécie de materialismo cósmico, que põe em xeque o primado do homem no universo, operando um deslocamento radical dos valores humanistas que sustentaram, no Ocidente, vários séculos de cultura. Se é desse materialismo que nasce a erótica sádica do marquês, é também dele que partem os signatários do *Manifesto* na tentativa de reinventar o mundo sob o princípio fundante do desejo.

Em 1942, Breton publica os *Prolégomènes à un troisième manifeste du surréalisme ou non*, onde apresenta o mito dos "grandes transparentes". Diz ele:

> O homem não é talvez o centro, o ponto de mira do universo. Pode-se chegar a pensar que há acima dele, na escala animal, seres cujo comportamento lhe é tão estranho como o seu pode ser para o efemerídeo ou para a baleia. Nada garante que estes seres não possam escapar de modo perfeito a seu sistema sensorial de referências graças a qualquer tipo de camuflagem que se possa imaginar, na medida em que a teoria da forma e o estudo do mimetismo animal supõem a sua possibilidade.

Não seria descabido, continua o autor, imaginar a estrutura e a compleição de tais seres hipotéticos e torná-los verossímeis, na medida em que eles se manifestam em nós de forma obscura, por meio do medo ou do sentimento do acaso[6].

O tema está longe de ser novidade quando Breton escreve esse texto. Na verdade, a questão da insuficiência da tradicional visão antropocêntrica atravessa toda a cultura européia. Pelo menos desde o século XVI, a ciência e

---

[5] Conforme Raymond Jean. "Sade et le surréalisme", in *Le Marquis de Sade*, Armand Colin (org.), op. cit., p. 248.

[6] André Breton, *Prolégomènes à un troisième manifeste du surréalisme ou non*, in *Œuvres Complètes*, tomo III. Paris, Gallimard, 1999, p. 14.

a filosofia, muitas vezes recorrendo a autores clássicos, lançam-se ao debate sobre a pluralidade dos mundos e das formas de vida, que ganhará vigor nos séculos seguintes. A partir de meados do século XVII a noção de centralidade do homem no universo tende a se enfraquecer, sobretudo com a expansão da anatomia comparada que revelava a semelhança entre a estrutura do corpo humano e o dos animais. Grande parte dos cientistas e filósofos da época passa a refutar abertamente a legitimidade de um ponto de vista antropocêntrico, colocando em dúvida a doutrina ortodoxa da singularidade humana.

Nesse grupo destacam-se os pensadores céticos e libertinos, que fazem sua essa polêmica, recusando-se a acatar a idéia de um universo construído para o homem e em função do homem. Cyrano de Bergerac, por exemplo, defendendo a doutrina de um cosmos orgânico e vivo, aludia "ao insuportável orgulho dos homens, que os faz pensar que a natureza foi criada expressamente para eles, como se fosse verossímil que o Sol tivesse sido aceso só para fazer amadurecer as suas nêsperas e florescer as suas couves"[7].

Essas concepções vão ressoar com intensidade no materialismo francês do século XVIII, tornando-se também a fonte principal de Sade, que delas se serve para justificar seus princípios. "Ora", pergunta o libertino de *La Philosophie dans le boudoir*, "o homem custa alguma coisa para a natureza? E, supondo que possa custar, custa mais que um macaco ou que um elefante?", para concluir que o ser humano foi "lançado no mundo pela natureza, da mesma forma como o boi, o burro, a couve, a pulga e a alcachofra"[8].

Tal é a afinidade do mito dos "grandes transparentes" com essas fontes que se torna difícil não se pensar em uma tradição de pensamento fundada na forte recusa das bases do humanismo. Nesse sentido, vale notar a coincidência dos exemplos a que recorrem tanto Cyrano e Sade quanto Breton, numa alusão que vai dos maiores mamíferos terrestres (o elefante, a baleia) aos minúsculos insetos (o efemerídeo, a pulga), passando pelos animais de porte médio (o boi, o burro, o macaco), para chegar ao reino vegetal (a couve, a alcachofra, a nêspera). No intento de investigar o mundo sem lançar mão da baliza antropomórfica, esses autores percorrem indiferenciadamente o campo de similitudes, indo do homem ao animal, e destes ao vegetal, para finalmente chegar aos seres inanimados[9].

---

[7] Citado por Paolo Rossi. *A ciência e a filosofia dos modernos*, Álvaro Lorencini (trad.). São Paulo, Editora da Unesp, 1992, p. 253.

[8] Sade, *Histoire de Juliette*, op. cit., tomo IX, p. 151, e *La Nouvelle Justine*, op. cit., tomo VII, p. 208.

[9] Daí Bataille investigar a linguagem das flores, motivado pelo intuito de conhecer "a obscura inteligência das coisas". Daí também Caillois e Breton buscarem, no reino mineral, o domínio dos índices e dos sinais: "as

Atéia e materialista, essa linhagem de pensadores descarta por completo a idéia de "medida humana", para repensar o universo sob outro parâmetro. É o que se depreende da leitura dessa passagem de *Histoire de Juliette*:

> O nascimento do homem não constitui o começo de sua existência assim como a morte não significa o fim; e a mãe que engravida não confere mais vida que um criminoso que oferece a morte: a primeira produz uma espécie de matéria orgânica, em determinado sentido, ao passo que o segundo dá oportunidade ao renascimento de uma matéria diferente, qualquer deles efetuando um ato de criação.

Ao elevar a destruição à condição de ato criador, Sade insiste na idéia de que a morte não passa de modificação da matéria, mudança de um estado em outro ou, nas suas próprias palavras,

> simples transmutação, que tem por base o perpétuo movimento, essência verdadeira da matéria, que todos os filósofos modernos consideram como uma de suas primeiras leis. A morte segundo esses princípios irrefutáveis, representa tão-somente uma transformação, nada mais sendo que uma passagem imperceptível de uma existência à outra.[10]

Há, portanto, uma importante noção de metamorfose orientando o sistema libertino, que concebe as diferenças entre os seres apenas como efeitos de um profundo jogo de transformações, sem o qual o mundo não poderia existir. As teses sobre o "eterno princípio do movimento" e outras máximas da filosofia biológica do século XVIII permitem ao marquês concluir que tudo no universo se equivale, inclusive o vício e a virtude[11].

A exemplo de Sade, que insiste em afirmar essa equivalência sem conferir qualquer privilégio ao homem, também os surrealistas rejeitam a idéia do primado

---

pedras — as pedras duras por excelência — continuam a falar àqueles que querem ouvi-las. Dirigem, a cada um, uma linguagem à sua medida: através do que ele sabe, elas ensinam-lhe aquilo que ele deseja saber". Ver Bataille. "Le langage des fleurs", in *Œuvres Complètes*, tomo I. Paris, Gallimard, 1970, p. 174; Breton. "Le langage des pierres", e Caillois. *L'écriture des pierres*. Paris, Skira-Flammarion, 1970.

[10] Sade, *Histoire de Juliette*, op. cit., p. 17, e *La Philosophie dans le boudoir*, op. cit., tomo III, p. 526.

[11] O sacrificador, diz um personagem da *Nouvelle Justine*, seja qual for o objeto que aniquila, não comete maior crueldade que o proprietário de uma granja que mata seu porco. O argumento é reiterado pelo papa libertino de *Juliette*, ao afirmar que um pai, um irmão ou um amigo não é, aos olhos da natureza, mais caro nem mais precioso que o último verme que rasteja na superfície do globo. Afinal, argumenta o devasso de *La Philosophie dans le boudoir* (op. cit., p. 526), "quais são as matérias-primas da natureza? De que se compõem os seres que nascem? Os três elementos que os formam não resultam da primitiva destruição de outros corpos? Se todos fossem eternos, não se tornaria impossível à natureza a criação de novos indivíduos? Se a eternidade dos seres é impossível à natureza, sua destruição é por conseqüência uma de suas leis".

humano, não para fazer a apologia ao crime, mas para evocar igualmente um mundo no qual todos os elementos estariam em transição. Trata-se, como sintetiza Paul Éluard, de um estado em que "tudo é comparável a tudo, tudo encontra seu eco, sua razão, sua semelhança, sua oposição, seu devir, por toda a parte. E esse devir é infinito"[12].

Essa evocação está na base da consciência surreal, reaparecendo em diversos autores ligados ao movimento. É nela que Breton aposta, ainda nos *Prolégomènes...*, quando faz referência a Novalis ("Na realidade, vivemos num animal de que somos os parasitas. A constituição deste animal determina a nossa e vice-versa"); a William James ("Quem sabe se, na natureza, nosso lugar é tão pequeno junto a seres por nós insuspeitados, como o dos cães e gatos que vivem a nosso lado em nossa casa?"); e a Émile Duclaux, cientista do século XIX ("Em torno de nós circulam talvez seres construídos no mesmo plano que nós, porém, diferentes, homens por exemplo cujas albuminas seriam retas")[13].

Da mesma forma, Roger Caillois imagina um universo no qual seres e objetos viveriam numa zona turva de indeterminação e de incerteza fazendo menção a uma

> era original em que nada ainda se havia estabilizado, nenhum edital ainda fora publicado, nenhuma forma ainda estava fixada. Os objetos se deslocavam por si mesmos, as canoas voavam pelos ares, os homens transformavam-se em animais e inversamente. Eles mudavam de pele em vez de envelhecer ou de morrer. O universo era plástico, fluido e inesgotável.[14]

Esse tempo primeiro, em que as coisas não conheciam estados definitivos, seria marcado por incessantes metamorfoses.

Semelhante concepção encontramos ainda em Georges Bataille, em especial quando ele observa que "os seres só morrem para voltar a nascer", comparando o ciclo da vida à atividade erótica" dos falos, que saem dos corpos para neles retornarem"[15]. O pequeno texto no qual se encontra essa passagem consiste numa incisiva afirmação da metamorfose contínua a que todos os seres estão sujeitos, tendo por base a idéia de que o universo é regido por dois movimentos fundamentais, o rotativo e o sexual. Reiterando o materialismo cósmico que orienta

[12] Éluard, citado por Emmanuel Guigon. *Objets singuliers*. Besanson, Odradek, 1985, p. 35.
[13] André Breton, *Prolégomènes à un troisième manifeste du surréalisme ou non*, op. cit., p. 14.
[14] Roger Caillois. *L'Homme et le sacré*. Paris, Gallimard, 1978, pp. 130-32.
[15] Gerges Bataille. *L'Anus solaire*, in *Œuvres Complètes*, tomo I. Paris, Gallimard, 1970, p. 84.

tanto as convicções sadianas quanto as surrealistas, o autor de *L'Érotisme*[16] descreve desde as rotações do sistema planetário até o mais gratuito gesto provocado pelo desejo humano, para aproximar definitivamente as incessantes vibrações do cosmos com o princípio que rege o erotismo dos homens.

* * *

Em 1930, Michel Leiris publica um artigo no qual afirma que "o masoquismo, o sadismo e, enfim, quase todos os vícios, são meios do homem sentir-se mais humano", justamente por "manterem relações mais profundas e mais abruptas com os corpos". O homem, diz ele, só consegue intensificar sua consciência quando ultrapassa a repugnância diante dos "mecanismos secretos do corpo" que, sendo ao mesmo tempo fascinantes e temíveis, revelam nosso "mistério mais íntimo". Além disso, adverte o autor, "humanidade nada tem a ver com felicidade nem com bondade": "tanto as visões mais atrozes como os prazeres mais cruéis estão totalmente legitimados quando contribuem para o desenvolvimento dessa humanidade"[17].

As palavras de Leiris parecem sintetizar o projeto comum dos intelectuais e artistas que se agrupavam em torno do surrealismo, profundamente empenhados em conhecer o corpo humano para além de suas imagens convencionais, quase sempre filtradas por uma ótica humanista e realista. Para adquirir tal conhecimento, era preciso pensar o ser humano impiedosamente, como fizera Sade, e a partir daí reconhecê-lo também nas suas faces mais sombrias, mais abjetas, mais estranhas. Daí a atenção especial que esse grupo dedica às metamorfoses da figura humana, sejam elas provocadas pelo prazer ou pela dor, cujo imaginário vem desmentir as representações idealizadas do homem[18].

"Podemos definir a obsessão da metamorfose como uma violenta necessidade, que aliás se confunde com cada uma das nossas necessidades animais, que levam um homem a afastar-se de repente dos gestos e das atitudes exigidas pela natureza humana", diz o verbete "Metamorfose" do *Dicionário crítico* que Bataille publicou em 1929 na revista *Documents*[19]. Essa "obsessão" diria respeito a um desejo profundo que instiga o ser humano a indagar os limites da sua condição; desejo

---

[16] Idem, *L'Érotisme*, in *Œuvres Complètes*, tomo X. Paris, Gallimard, 1987.

[17] Michel Leiris. "El hombre e su interior", in *Huellas*, Jorge Ferreiro (trad.). México D.F., Fondo de Cultura Econômico, 1988, pp. 48-51.

[18] Desenvolvi o tema em *O corpo impossível — a decomposição da figura humana, de Lautréamont a Bataille*. São Paulo, Iluminuras, 2002.

[19] Georges Bataille. "Metamorphose", in *Œuvres Complètes*, tomo I, op. cit., p. 208 (grifos do autor).

que certamente ultrapassa, e em muito, as preocupações dos artistas modernos para se revelar como centro de uma tarefa do pensamento no sentido de demarcar as fronteiras da humanidade.

Nas primeiras décadas do século XX, porém, essa "violenta necessidade" significou bem mais do que a simples continuidade de uma indagação filosófica, já que o pensamento foi obrigado a confrontar a cena simbólica com os ímpetos destrutivos que assaltavam a cena histórica. Tudo acontece, diz Annie Le Brun, "como se uma percepção mais e mais viva da complexidade contraditória das relações do homem com o mundo exigisse respostas cada vez mais sutis e mais concretas"[20]. A reflexão surrealista, já desde o final da década de 1920, centrando-se na "situação do objeto", parecia levar a uma concepção de mundo na qual a silhueta humana desaparecia em função de tudo que a perseguia, para reaparecer sob o talhe de formas monstruosas ou de deformidades ameaçadoras.

Com efeito, a partir dos anos 1930, o imaginário surreal é invadido por representações do "mal". Se a revista *Documents* divulga iconografia de contundente violência — que vai dos corpos mutilados e aleijados às cenas sangrentas dos rituais de sacrifício asteca, ou das antigas máscaras mortuárias aos restos de animais abatidos em matadouros —, a *Minotaure*, seguindo o exemplo de *Le Surréalisme au service de la révolution*, traz imagens igualmente perturbadoras como as caveiras da arte popular mexicana, os retratos de criminosos e de vítimas assassinadas, ou os massacres desenhados por André Masson. Da mesma forma, muitos dos artigos publicados nessas e em outras revistas do grupo convergem para os temas do sacrifício, da tortura, do suicídio ou do assassinato, além de um particular interesse por toda sorte de metamorfoses do corpo humano que revelam a "beleza convulsiva".

Essas imagens do "mal" — que Breton insiste, em *L'Amour fou*, em manter entre aspas — estão longe de ser uma diversão estética diante do perigo, mas representam antes um avanço na direção de novos territórios sensíveis cuja urgência os surrealistas proclamavam. Isso porque "numa época em que os verdadeiros monstros logo iriam exercer sua destruição todo-poderosa, esses poetas e artistas vinham evocá-la nos monstros imaginários" e, como observa Starobinski, "sem a menor conivência com os assassinos que já haviam entrado em ação, eles se voltavam em direção à noite, às vezes em direção ao crime, como se procurassem realizar um exorcismo, mas sem escapar de um fascínio angustiante"[21].

---

[20] Annie Le Brun. *Sade, aller et détours*. Paris, Plon, 1989, p. 133.

[21] Jean Starobinski. "Face diurne et face nocturne", in *Regards sur Minotaure*. Genebra, Musée d'Art et d'Historie, 1987, p. 33.

Digamos também, precisando as observações de Starobinski, que esse imaginário oscilava efetivamente entre o exorcismo praticado pelos companheiros de Breton e o fascínio angustiante dos autores mais próximos de Bataille. Em que pesem tais diferenças, a distância entre esses grupos diminui sensivelmente diante da evidência de que tanto uns como outros aceitaram o enorme risco de manipular as mais inquietantes representações do mal que, nas palavras do autor do *Manifesto*, revelavam naquele momento "o mais alto valor revolucionário"[22].

Diante da "idéia de transcendência de um bem que impõe ao homem os seus deveres", ainda segundo Breton, as imagens do mal se revestem de notável poder de subversão. Assim também, diante das produções angelicais da arte fascista, destinada a esconder as mais efetivas e terríveis manifestações do mal — tendo sua extensão lógica no repúdio às "formas degeneradas" da estética modernista —, as figuras monstruosas divulgadas nas revistas surrealistas representam um ato de resistência e de revolta contra as forças destruidoras que invadiam a Europa. Mais do que isso, porém, elas representam a tentativa de aprofundar a reflexão a fim de investigar tudo aquilo que, no fundo do próprio homem, suscita o mal.

É precisamente nesse contexto que se circunscreve o grande interesse dos companheiros de Breton e Bataille por Sade. Interesse motivado não só pelas concepções atéias e materialistas do marquês, mas também pela perplexidade dessa geração diante das atrocidades testemunhadas desde a Primeira Guerra Mundial. Como propõe Maurice Blanchot, num texto escrito já no pós-guerra,

> quando o sadismo passou a ser uma possibilidade concernindo toda a humanidade, um pensamento como o de Sade nos mostra que, entre o homem normal que encerra o sádico num impasse, e o sádico que faz desse impasse sua única saída, é esse último que leva mais longe o conhecimento sobre a verdade e a lógica de sua situação, tendo dele a inteligência mais profunda, a ponto de ajudar o homem normal a compreender a si mesmo, ajudando-o a modificar as condições de toda compreensão.[23]

Por certo são essas as mesmas preocupações que estão no horizonte de Bataille quando ele afirma que "sem a crueldade de Sade, não teríamos sido capazes de

[22] André Breton. *O amor louco*, Luiza Jorge Neto (trad.). Lisboa, Estampa, 1971, p. 124.

[23] Maurice Blanchot, "La raison de Sade", in: *Sade et Restif de la Bretonne*. Bruxelas, Complexe, 1986, p. 66. Assim também afirmou Simone de Beauvoir que: "se o Marquês encontra tantos ecos hoje, é porque o indivíduo se sabe vítima menos da maldade dos homens que da boa consciência deles". Palavras que revelam um dos problemas essenciais dos pensadores da época e que, segundo ela, "obseda nosso tempo: a verdadeira relação do homem com o homem". Ver Simone de Beauvoir, "Deve-se queimar Sade?", in *Novelas do marquês de Sade*. Augusto de Sousa (trad.). São Paulo, Difel, 1967, p. 63.

abordar de forma tão serena esse domínio outrora inacessível onde se dissimulam as mais penosas verdades". Por isso, continua ele, cabe ao marquês o mérito de ter dado o primeiro passo para expor nossa unidade profunda:

> se o homem normal, hoje, penetra profundamente na consciência do que significa para ele a transgressão, é porque Sade lhe preparou os caminhos. Doravante, o homem normal sabe que a sua consciência deve se abrir ao que mais violentamente o revoltou: aquilo que mais violentamente nos revolta está em nós mesmos.[24]

Ainda que Bataille tenha insistido na apropriação idealista de Sade pelos surrealistas, não é possível deixar de observar a afinidade entre suas palavras e uma passagem de *L'amour fou* dedicada a comentar um episódio de *La nouvelle Justine*. Partindo da identidade que a obra sadiana propõe entre a maldade humana e as forças destrutivas da natureza — evidenciada sobretudo quando o libertino expressa seu desejo de ser um vulcão —, Breton reafirma a idéia de que cada homem abriga, no seu interior, o mesmo "princípio de devastação" encontrado na natureza[25]. Se essa interpretação aproxima-se das concepções de Bataille, ela confirma também que o objetivo último dessas reflexões é interrogar a origem e a amplitude fantasmática das representações do mal que não cessam de inquietar o espírito moderno.

"Uma das grandes virtudes dessa obra", diz ainda Breton, ao comentar *Les 120 journées de Sodome*, "é a de colocar o quadro das injustiças sociais e das perversões humanas sob a luz das fantasmagorias e dos terrores da infância, e isso ao risco de às vezes confundir umas com as outras"[26]. Para o autor de *L'Amour fou*, o pensamento de Sade forneceria uma das visões mais lúcidas sobre as forças que agem intimamente no homem e que estão na origem dos seus atos de violência: ao perceber na crueldade sadiana os mesmos traços da ferocidade inocente da infância, Breton reitera a idéia de que cada ser humano encerra dentro de si um princípio do mal.

Esse princípio está na origem do desejo, não importa que ele tome o nome de "amor louco" para Breton ou de "erotismo" para Bataille, com as devidas diferenças que cada concepção sugere. Se o marquês foi o primeiro a evidenciá-lo, sua descoberta fundamental de que a potência do desejo está relacionada à violência tornou-se efetivamente um dos principais pontos de partida desses

---

[24] Gerges Bataille. *L'Érotisme*, in *Œuvres Complètes,* tomo X. Paris, Gallimard, 1987, pp. 194-95.

[25] André Breton, *O amor louco*, op. cit., p. 124.

[26] Idem, *Anthologie de l'humour noir*, citado por Le Brun, *Soudain un bloc d'abîme. Sade*, op. cit., p. 164.

autores. Ou, como sintetizou Robert Desnos, em 1923, confirmando a importância das relações entre sadismo e surrealismo: "todas as nossas aspirações foram essencialmente formuladas por Sade, o primeiro a considerar a vida sexual integral como base da vida sensível e inteligente"[27].

[27] Citado por Le Brun, *Sade, aller et détours*, op. cit., p. 119.

A FERA PENSANTE

A conhecida distinção entre *ars erotica* e *scientia sexualis*, que Michel Foucault aponta como os dois grandes procedimentos de produção do saber sobre o sexo, torna-se inoperante quando o objeto em questão é a obra de Sade. O erotismo literário do marquês funda uma terceira categoria de conhecimento que, não se acomodando ao receituário da arte sensual do Oriente nem aos modelos da moderna ciência sexual do Ocidente, exige uma definição à altura de sua imaginação filosófica. Entre os intérpretes que se lançaram a tal tarefa, Octavio Paz talvez tenha sido aquele que melhor soube conceituar a singularidade do pensamento sadiano, definindo-o como "fantasia raciocinante".

A expressão não se esgota no achado semântico: ao definir a obra de Sade nesses termos, realçando seu "imenso trabalho especulativo", Paz esclarece as razões de um homem de letras que insistia em se apresentar como filósofo da libertinagem. Trata-se, portanto, de um tema central para o entendimento do projeto sadiano. Ainda que a literatura filosófica tenha sido um gênero praticado por diversos pensadores do século XVIII francês, a exemplo de Voltaire ou de Diderot, a opção do criador de *Justine* coloca problemas particulares na medida em que a ficção foi sua forma privilegiada de expressão. Essa questão está no horizonte do ensaio mais denso que o escritor mexicano dedicou ao marquês e que empresta o título ao livro *Um mais além erótico: Sade*[1].

---

[1] Octavio Paz, *Um mais além erótico: Sade*, Wladyr Dupont (trad.). São Paulo, Mandarim, 1999.

Publicado em 1961, o ensaio faz parte do imenso interesse que Sade suscitou no pensamento europeu a partir do pós-guerra. Octavio Paz — que na época da publicação vivia em Paris — testemunhou de perto a inquietação de uma geração de intelectuais franceses que, abalada com as atrocidades da Segunda Guerra Mundial, via-se compelida a repensar as bases de um humanismo que a realidade havia colocado em cheque. A filosofia radicalmente anti-humanista do marquês representava então uma possibilidade de aprofundar a reflexão a fim de investigar as representações do mal que, expurgadas da cena simbólica, haviam retornado com força assassina na cena histórica.

Por certo, a amizade com Breton, Péret e Bataille contribuiu para que Octavio Paz também voltasse sua atenção para um autor que ousara, como nenhum outro, manipular essas representações na tentativa de esclarecer seus fundamentos. Tendo conhecido os livros de Sade por meio dos surrealistas, o escritor mexicano consagrou a ele o poema "O prisioneiro"[2], cujo tom apologético deixa claras suas afinidades com um grupo que dedicava verdadeiro culto ao "divino marquês". Mas entre o poema de 1946 e o longo ensaio de 1961 que empresta o título ao livro, percebe-se mudança significativa: neste, Paz assume um olhar mais atento — e também mais grave — para as insuportáveis "verdades" enunciadas na obra sadiana, buscando compreender esse "algo mais que ela encerra para além da história, do sexo, da vida e da morte".

Mesmo se considerarmos a extensão e a qualidade da fortuna crítica do marquês nas últimas três décadas, algumas vertentes exploradas no ensaio ainda mantêm notável poder de esclarecimento dessas "verdades". Entre elas está a idéia de que o sistema libertino "se apresenta como uma pluralidade hostil a toda unidade", o que faz da particularidade seu princípio fundamental. Ou seja, no entender de Paz, o homem de que fala Sade é sempre um ser único e singular, irredutível a qualquer dimensão coletiva. Idéia arriscada, sobretudo por contestar uma série de interpretações, ainda muito em voga nos anos 1960, que teimavam em apontar um viés político e ideológico no pensamento do autor de *La Philosophie dans le boudoir*.

Para fundamentar seu argumento, o ensaísta parte da hipótese de que o erotismo é o reino da singularidade, pois "escapa continuamente à razão e constitui

[2] Octavio Paz, *Um mais além erótico: Sade*, op. cit., pp. 11-17.

um domínio oscilante, regido pela exceção e pelo capricho". Daí a constatação de que a obra de Sade traduz "a exceção levada ao extremo": nela, "não há espécies, família, gênero, nem, mesmo por acaso, indivíduos (pois o homem muda e seu desejo de hoje nega o de ontem)". Daí também a conclusão de que o propósito sadiano de conhecer o conjunto das paixões sexuais resulta necessariamente numa tarefa infinita. Ora, como poderia alguém completar o conhecimento de um domínio invariavelmente marcado pela exceção? Um projeto desse porte, pondera Paz, tende a se degenerar numa confusão vertiginosa e, portanto, ininteligível. Por isso mesmo, o autor reconhece que o grande mérito do marquês foi o de ter resistido à vertigem.

A tese de Paz permite deduzir que a opção de Sade pela literatura foi decorrência lógica de sua profunda paciência e de seu obstinado rigor na realização dessa tarefa. Ao deslocar a reflexão filosófica para a alcova libertina, o marquês foi obrigado a levar em consideração as diferenças, por ínfimas que fossem, entre cada um dos "caprichos da natureza" que fazem parte de seu interminável catálogo. Com isso, ele se viu obrigado igualmente a exceder os limites da filosofia, na certeza de que só a literatura permitiria seu ingresso no território ilimitado da imaginação erótica. Porém, insistindo no teor filosófico de seu projeto, ele jamais deixou de imprimir à ficção o tom reflexivo, conforme realça a justa expressão do ensaísta.

A idéia de "fantasia raciocinante" não se justifica, contudo, apenas pelo caráter singular da experiência erótica — é o que sugere Paz num depoimento de 1986, incluído no conjunto de textos que fecha o livro. Passado um quarto de século desde a publicação de seu primeiro ensaio sobre o marquês, o escritor mexicano distancia-se ainda mais de suas proposições iniciais, voltando um olhar bem menos benevolente a esse "incômodo interlocutor". Sua visada concentra-se então em outro princípio do sistema libertino, precisamente aquele que traduz "um mais além erótico": a negação universal. Ou, numa só palavra: o Mal.

Ao investigar a exigência de negação que orienta a ficção sadiana, o autor de *Os filhos do barro* mostra uma vez mais o grande pensador que foi. Sem lançar mão de teorias que, a exemplo da psicanálise, reduzem o saber literário a modelos genéricos, o ensaísta parte da obsessão de Sade pelo particular para compreender a convergência entre a fantasia sexual e a crueldade. Atento ao imperativo da diferença na obra do marquês, Paz conclui que o mal só é pensável a partir da mesma lógica da heterogeneidade que governa o domínio do erotismo: "o Mal não postula um princípio único, mas uma dispersão. O Mal não passa disso, miríades de exceções".

Foi preciso surgir um autor com a ousadia de Sade para associar definitivamente o erotismo ao mal, reunindo esses dois continentes cujo único fundamento é a exceção. Ao aceitar o risco de colocar lado a lado a fantasia literária e o raciocínio filosófico, o marquês ficou livre para criar uma "fera pensante", comprometida com a infinita tarefa de dar palavra às particularidades inconfessáveis do homem. Mas foi preciso também que um autor do porte de Octavio Paz reconhecesse a aventura singular desse libertino para descobrir, no corpo da língua, a origem de sua paixão pelo mal: "Dissoluto: amante da morte".

O DESEJO A TODA PROVA

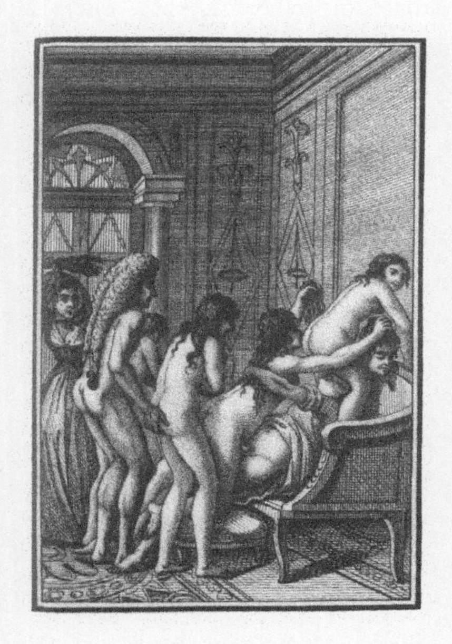

Em entrevista a um jornal carioca, por ocasião do lançamento de *O terror na alcova* no Brasil, o escritor Serge Bramly fez diversas declarações sobre o marquês de Sade[1]. De forma geral, suas afirmações — cujo único mérito talvez seja o de resumir os lamentáveis equívocos de seu livro — têm por base a idéia de que "toda a violência da escrita sadiana vem da prisão". Segundo palavras do autor, Sade "era um tigre dentro de uma gaiola. Hoje, todo o prazer sexual que ele buscava pode ser encontrado nos *sex shops*. Atualmente, ele seria um indivíduo normal".

Se as declarações do escritor tunisiano radicado na França chocam a quem tem intimidade com a literatura filosófica de Sade, elas não deixam igualmente de manifestar certo senso comum, revelado em pelo menos dois sentidos. Primeiro, por associar a liberdade enunciada na obra do marquês à prisão, identificando a alcova libertina aos cárceres onde o escritor passou quase metade de sua existência. Ora, essa associação é o ponto de partida do livro de Bramly, que se propõe como biografia romanceada do período em que Sade esteve preso em Picpus, no ano de 1794.

Picpus era uma "casa de saúde e detenção" destinada a alguns aristocratas que, em pleno regime revolucionário, ainda tinham prestígio e dinheiro suficientes para garantir certos privilégios do Ancien Régime, sonhando escapar da guilhotina. Os oito meses que Sade lá viveu compõem uma fase misteriosa de sua vida, de

[1] Serge Bramly. *O terror na alcova*, Irène Cubric (trad.). Rio de Janeiro, Record, 1996.

que se têm poucos registros. *O terror na alcova* visa justamente investigar essa lacuna, lançando mão tanto de dados biográficos quanto de suposições ficcionais. Nessa fabulação, Bramly relaciona o Terror revolucionário ao terror da literatura sadiana, na tentativa de confrontar os fantasmas imaginários com as práticas de crueldade que tomavam conta das ruas de Paris no final do século XVIII.

Com efeito, os anos que sucederam a Revolução foram marcados pelas atrocidades do liberalismo armado: massacres, fuzilamentos, afogamentos em massa e, sobretudo, as execuções da "santa guilhotina", que Bramly descreve nas melhores páginas do livro. Por certo, bem mais que um reflexo dessa violência, a obra de Sade — sobretudo os textos posteriores a 1789 — pode ser lida também como reflexão crítica sobre as práticas cruéis que sustentavam os "belos ideais" da razão revolucionária. Ao responsabilizar cada indivíduo pala violência praticada, o marquês desmascarava o "republicano sensível e virtuoso" que assassinava em nome de um suposto "bem comum".

Todavia, as relações entre história e ficção não se tramam indefinidamente como num jogo de espelhos. Se as marcas da época fazem-se ler na literatura sadiana, é preciso lembrar que o projeto de Sade não se resumia, de forma nenhuma, a escrever "contra" seu tempo. Ao encerrar seus personagens no interior de uma alcova, o marquês denunciava uma sociedade que buscava diluir todo desejo particular na "vontade geral da nação", reduzindo o indivíduo ao cidadão. Porém, mais que isso, ao destinar sua alcova à realização plena das fantasias eróticas — para além de qualquer limitação de ordem moral, político ou social —, Sade propunha uma reflexão sem precedentes sobre a liberdade individual.

A alcova lúbrica — espaço privilegiado da experiência libertina — representa, por excelência, o lugar de exercício dessa liberdade. Por essa razão, torna-se descabida a aproximação proposta por Bramly entre a prisão de Picpus e os aposentos destinados à libertinagem. Inviolável e inacessível, a alcova sadiana só pode ser identificada a um cárcere sob a ótica da vítima; para o todo-poderoso devasso concebido pelo marquês, ela é o oposto da prisão.

Assim, ao colocar lado a lado o prisioneiro Sade e alguns dos personagens de *La Philosophie dans le boudoir* — livro que o marquês publica em 1795, logo depois de sua estadia em Picpus — Bramly parece resumir a liberdade do sistema sadiano às ocorrências biográficas do autor. Com isso, *O terror na alcova* acaba por confundir a condição de vítima com a de libertino; equívoco inadmissível considerando-se que é justamente a partir da contraposição entre essas duas figuras — tipos absolutos, irredutíveis um ao outro, como são Justine e Juliette — que Sade projeta sua ficção de um homem completamente livre.

Com esses pressupostos em mente, não é de estranhar que Bramly manifeste outro senso comum, este ainda mais grave que insiste em considerar Sade como precursor da suposta "liberdade sexual" contemporânea. Tudo se passa como se o liberalismo político tivesse enfim conquistado tal estágio de garantias individuais que, hoje, qualquer "indivíduo normal" seria capaz de realizar seus desejos sexuais sem o menor constrangimento. Tudo se passa como se a insaciável erótica de Sade pudesse ser substituída pelas prateleiras de uma *sex shop*, reduzindo toda fantasia à circulação das mercadorias.

Ora, ao afirmar a irredutibilidade do desejo, o marquês formula um ponto de vista completamente oposto ao atual que, enfatizando as diferenças formais, substitui a singularidade individual pela identidade de grupo. Nada mais distante da erótica sadiana do que as "particularidades coletivas" reivindicadas pelos grupos de *gays*, lésbicas, sadomasoquistas etc. Assim também, nada mais distante da alcova libertina que o aparato pornográfico, material ou simbólico, colocando à disposição de uma grande massa de consumidores, ansiosa pela última novidade do *fast food* sexual que lhe anestesia o desejo.

Diante de tantos equívocos, melhor retornar às páginas dos romances de Sade que, se causam algum desconforto, também convidam a pensar para além das facilidades do senso comum. Ou, quem preferir as ficções inspiradas na polêmica figura do marquês, que recorra a dois textos de inegável qualidade: o clássico *Marat-Sade*, de Peter Weiss, ou o instigante *A Marquesa de Sade*, de Yukio Mishima. Como se vê, nem ao menos a idéia de Bramly é original; e, também neste caso, *O terror na alcova* fica muito aquém de seus ilustres antecedentes.

O ENIGMA SADE

Há mais de duzentos anos, exatamente em 1795, o vigoroso mercado francês de publicações clandestinas lançava um novo título: *La philosophie dans le boudoir*. O livro não trazia o nome do autor: supostamente impresso em Londres, em edição "fora do comércio", era apresentado simplesmente como "obra póstuma do autor de *Justine*". O marquês de Sade era então um homem maduro, e não acalentava muitas esperanças no que se refere à difusão de sua obra. Aos 55 anos, dos quais cerca de quinze vividos na prisão, ele já havia sido alvo de um número suficiente de ataques, tanto por parte da crítica como da censura oficial, e sabia que o destino de seus livros era mesmo a clandestinidade.

Certamente, como observou Maurice Heine, o primeiro biógrafo de Sade, "o álibi supremo do túmulo" garantia ao marquês um ocultamento ainda mais eficaz que a estratégia do anonimato, tão em voga na conturbada passagem do século XVIII para o XIX"[1]. Todavia, não deixa de ser inquietante o fato de um escritor, considerado atualmente um clássico, ter sido obrigado a "passar por morto" a fim de editar sua obra. Hoje, transcorridos mais de dois séculos, o criador da Sociedade dos Amigos do Crime é aclamado pela crítica e passa a ocupar um lugar de honra na história da literatura, ao lado de Shakespeare, Racine ou Goethe.

---

[1] Maurice Heine. *Le Marquis de Sade*. Paris, Gallimard, 1950, p. 278.

"Que o aceitemos ou não, que o consideremos como bem desejamos, Donatien-Alfonze-François de Sade é *o maior* escritor francês"[2], as palavras categóricas de Jean-Jacques Pauvert, primeiro editor das obras completas do marquês, não deixam dúvidas sobre o lugar que o autor de *Justine* ocupa no campo literário. Essa consagração culmina com a recente publicação de sua obra na *Bibliothèque de la Pléiade*, a reputada série da Gallimard dedicada exclusivamente aos clássicos da literatura universal.

Será possível, contudo, aceitar sem inquietação o fato de que o mais perigoso escritor ocidental se tenha transformado num respeitável clássico? Como entender essa passagem do maldito para o divino? Ainda: que razões concorreram para que o século XX se deixasse fascinar pelo marquês, a ponto de lhe conferir as glórias literárias e filosóficas que os séculos anteriores expressamente lhe recusaram? Para responder a essas indagações é necessário recuperar o conturbado percurso dessa obra, de seus infortúnios originais às prosperidades que goza na atualidade.

Sabe-se o quanto Sade foi perseguido em vida. Acossado pela poderosa Mme. de Montreil, sua sogra, ele passou os últimos anos de liberdade enclausurado no castelo de La Coste; em 1777, aos 37 anos de idade, foi preso em Vincennes, e dali transferido para a Bastilha, de onde só sairia dias antes da Revolução, para ser instalado no sanatório de Charenton por alguns meses; na última década desse século, viveu uma liberdade precária, agravada pela difícil situação financeira, já que seus bens haviam sido confiscados. Em 1801, foi outra vez detido e encarcerado sucessivamente em Sainte-Pélagie, Bicêtre e mais uma vez no sanatório, onde permaneceu até a morte, em 1814. A situação de seus livros não teve melhor destino, e seguiu paralela à sua vida.

Os manuscritos de seu primeiro romance, o monumental *Les 120 journées de Sodome*, foram extraviados na transferência da Bastilha a Charenton; perda irreparável que, segundo o autor, o fez derramar "lágrimas de sangue". Em 1791, já com mais de cinqüenta anos, ele conseguiu editar a primeira versão de *Justine*, supostamente impressa na Holanda, mas publicada clandestinamente pela casa Girouard de Paris. Bem aceito pelo público — o que é comprovado pelas seis edições impressas num período de dez anos, testemunho de sucesso na época —,

---

[2] Essas palavras foram publicadas na contracapa do primeiro volume das obras completas que Jean-Jacques Pauvert vem reeditando desde 1986, em parceria com Annie Le Brun. Além dessa, a mais recente edição da obra está sendo organizada por Michel Delon para a *Bibliothèque de la Pleiade*, Gallimard, desde 1990. Pauvert assina também uma das mais novas biografias do marquês, *Sade Vivant*, em três volumes publicados pela Robert Laffond, respectivamente em 1986, 1989 e 1990; a mais recente, contudo é a de Maurice Lever, *Donatien Alphonse François, Marquis de Sade*, op. cit.

o livro foi massacrado pela crítica. Um artigo do *Journal Général de France*, de 1792, traduz a reação suscitada pela aparição de *Justine*: "Tudo o que é possível à imaginação mais desregrada inventar de indecente, de exagerado, de repugnante mesmo, encontra-se reunido nesse romance bizarro, cujo título pode interessar e enganar as almas sensíveis e honestas"[3].

Oficialmente, Sade estreou no mercado editorial francês somente em 1795, com *Aline et Valcour, ou le roman philosophique*, publicado pela mesma Girouard, mas assinado pelo "cidadão S***". Dois anos mais tarde apareceu *La nouvelle Justine, suivie de l'histoire de Juliette, sa soeur*, romance anônimo em dez volumes ilustrados com gravuras obscenas, que se tornou rapidamente objeto de vários embargos policiais. Em 1800, foram publicados *Oxtiern ou les malheurs du libertinage*, peça teatral, e *Les crimes de l'amour*, coletânea de onze novelas, que constituem as únicas obras efetivamente assinadas em vida, por D.-A.-F. Sade.

Os *Crimes*, editados pela Massé, também foram mal recebidos pela crítica, tendo sido objeto de um artigo ferino no *Journal des Arts, des Sciences et de Littérature*, que condenava o autor desse "livro detestável" à "execração pública". Mais tarde, em 1813, a casa parisiense Béchet publicou o romance *La Marquise de Ganges*, que veio a ser mais um título anônimo entre os muitos que proliferaram nessa época de ouro do *roman noir*.

Nenhuma glória em vida, portanto, para quem hoje é considerado um clássico. De seus contemporâneos, o escritor Sade recebeu ou a indiferença ou vociferantes ataques. Há que se considerar ainda que, de sua extensa obra, só foi publicada uma pequena parte, provavelmente apenas um terço do que efetivamente produziu. Um único exemplo basta para comprová-lo: os manuscritos das *Journées de Florbelle*, queimados após sua morte, por ordem do filho, ultrapassavam o número de cem cadernos. Portanto, no que concerne ao quadro oficial da literatura e à divulgação das idéias — cenário em que o romance desempenhou um papel vital, dado o desenvolvimento do mercado editorial no século XVIII — Sade permaneceu à sombra.

Esse "fracasso", porém, coloca em cena questões fundamentais, que se acrescentam àquelas formuladas inicialmente. Não estaria o pensamento do marquês de fato condenado a engendrar sua própria ruína (editorial, política, social etc.), na medida em que a transgressão por ele enunciada o coloca sempre contra a sociedade? Que

[3] Citado por Gilbert Lély, *Vie du marquis de Sade*, tomo II, op. cit., p. 528.

lugar poderia haver, nas décadas que antecederam e sucederam a Revolução Francesa, para um conjunto de idéias que se colocava frontalmente contra a Família, a Igreja e o Estado, enfim, contra todos os poderes instituídos? Como essas instituições poderiam abrir espaço a um pensamento que afirmava e reiterava a crença de que todo pacto social devia ser completamente desprezado?

Não esqueçamos que o princípio fundamental do sistema de Sade é o egoísmo: o isolamento define a situação original do homem no mundo, e só a libertinagem tem o poder de devolvê-lo a esse estado natural de solidão que é, por essência, cruel. Para restaurar a inesgotável potência de destruição que se encerra em cada indivíduo, o libertino sadiano lança-se de forma vertiginosa à prática de toda sorte de atividades criminosas, não sem antes defini-las categoricamente como "ações contrárias aos interesses da sociedade"[4].

E "o que é um crime?", pergunta um devasso de Sade, para imediatamente responder:

> É a ação pela qual, dominando os homens, nos elevamos infalivelmente acima deles; é a ação que nos torna senhores da vida e da fortuna alheia, e que, com isso, acrescenta à porção de felicidade que gozamos aquela que pertencia ao ser sacrificado. E nos dizem que à custa dos outros esta felicidade não poderia ser perfeita... imbecis!... é preciso por ser usurpada que é perfeita, pois não teria mais encantos se nos fosse dada. É necessário então arrebatá-la, arrancá-la; há de custar lágrimas àquele que privamos dela, e é da certeza dessa dor ocasionada aos outros que nascem os mais doces prazeres.[5]

Baseado em tais concepções, um personagem das *120 journées* afirma que "para ser verdadeiramente feliz neste mundo, o homem deve, além de entregar-se a todos os vícios, nunca se permitir uma virtude, o que significa não somente fazer sempre o mal, mas também, e acima de tudo, nunca fazer o bem"[6]. E ainda: "o ser mais feliz da terra não é aquele em que as paixões endurecem o coração... levando-o ao ponto de ser unicamente sensível ao prazer?"[7]. Dessas teses surge a diferença fundamental, para o libertino, entre a prática de um prazer e a de um ato social: "um bom jantar pode causar uma volúpia física, enquanto que salvar três milhões de vítimas, mesmo para uma alma honesta, causaria apenas uma

---

[4] Sade, *La Nouvelle Justine*, tomo I, op. cit., p. 280.
[5] Sade, *La Nouvelle Justine*, tomo II, op. cit., pp. 102-03.
[6] Idem, *Les 120 journées de Sodome*, op. cit., p. 26.
[7] Idem, *Histoire de Juliette*, tomo I, op. cit., p. 134.

volúpia moral", afirma uma nota de *Juliette*, concluindo pela inegável superioridade da lascívia em relação à moral[8].

Se esses princípios já eram inconcebíveis no imaginário da corte setecentista, empenhada em domesticar os atos violentos e elaborar procedimentos civilizatórios, tampouco poderiam ser acatados pela sociedade burguesa, ansiosa por consolidar os supostos ideais de igualdade e de fraternidade, identificando totalmente o indivíduo ao cidadão. Aquele "esforço a mais", que Sade pedia aos franceses em *La Philosophie dans le boudoir*, era de fato inaceitável em sua época, pois minava por completo as bases morais e políticas de um novo projeto social que só reconhecia a crueldade na condição de absoluta alteridade[9].

A parca repercussão da obra de Sade durante o século XIX, quando o projeto burguês de sociedade consolida-se definitivamente, só faz comprová-lo. Por volta de 1815, a censura francesa torna-se mais rigorosa e os livros considerados licenciosos são condenados à fogueira; a polícia, seguindo ordens do ministério do Interior, organiza uma nomenclatura de títulos proibidos, cujo índex inclui todas as obras do marquês publicadas até então. Morto, Sade será novamente condenado ao silêncio, e seus livros, ainda que alguns sejam reeditados na clandestinidade, continuam proibidos ao público. Contudo, haverá dois grupos de leitores que se interessam pela obra sadiana: os psiquiatras e os escritores.

A oitava edição do *Dicionário Universal* de Boiste, de 1834, corrigida e aumentada por Charles Nodier, ao que tudo indica, inaugura o termo "sadismo": "Aberração horrível do deboche; sistema monstruoso e anti-social que revolta a natureza". O dicionário fornece sua origem (De Sade, nome próprio) e acrescenta "em uso". Apesar disso, a expressão só ganha notoriedade quando, na última década desse século, é utilizada pelo doutor Lacassagne em seus tratados de medicina legal e pelo psiquiatra alemão Krafft-Ebing, que lhe confere *status* médico na sexta edição da *Psychopathia sexualis*. Ao lado do termo "sadismo", o psiquiatra cria o "masoquismo", insistindo porém na diferença entre os autores que inspiram suas teorias: Sacher-Masoch é "um honorável escritor lido em toda a Europa", enquanto Sade "não passa de um caso clínico"[10].

Nesse termos, a psiquiatria reitera o perigo iminente de Sade, identificando sua obra a um vasto repertório de disfunções e de desvios sexuais; conceito

---

[8] Sade, *Histoire de Juliette*, tomo II, pp. 45-46 (nota).

[9] Desenvolvi o tema em *Sade — A felicidade libertina*, op. cit., especialmente no capítulo 5, "O *boudoir*".

[10] Segundo Michel Delon, "Histoire d'un mot", in *Magazine Littéraire*, n. 284, janeiro de 1991, p. 46.

apropriado, sem dúvida, para uma época que procura adequar por completo o prazer às formas sociais, buscando classificar as perversões para, em contrapartida, afirmar a sexualidade "normal e sadia" do homem burguês. A *scientia sexualis* cuida de patologizar o autor das *120 journées*, embora seja unânime em definir esse livro como "o primeiro ensaio positivo tendo em vista a classificação das anomalias sexuais"[11].

Paralelamente à leitura perversa dos médicos oitocentistas, o marquês será visitado também por um significativo número de escritores. Em 1843, Sainte-Beuve escreve na *Revue des Deux Mondes*: "Ousarei afirmar, sem receio de ser desmentido, que Byron e Sade — peço perdão pela aproximação — talvez tenham sido os maiores inspiradores de nossos modernos, o primeiro público e visível, o segundo clandestino, mas nem tanto"[12]. Segundo estudiosos, a leitura de *Justine* foi útil a Balzac em seu aprendizado do *roman noir*; deliciou Flaubert, que conhecia bem a obra do marquês e dizia identificar-se com Minski, o antropófago de *Juliette*; e inquietou Stendhal, interessado pelos libertinos do século XVIII, "que faziam do prazer sua única ocupação". Balzac, Flaubert, Stendhal, mas também Vigny, Musset, Gautier, Chateaubriand, Baudelaire, Lamartine, toda uma geração de escritores oitocentistas teve a curiosidade de ler Sade.

Todavia, a atenção que esses escritores reservam ao marquês não pode ser superestimada e representa apenas a pré-história da presença de Sade na república das letras. Apesar das palavras de Sainte-Beuve, e ainda que seja possível fazer algumas aproximações temáticas — como no caso de Lamartine ou de Baudelaire —, talvez seja inadequado supor um campo de influências literárias. A menos que tomemos o exemplo isolado de Swinburne que, obcecado pelo tema do suplício e das flagelações, cita inúmeros personagens e cenas sadianas em seus escritos, chegando a redigir uma *Apologia de Sade*, na qual afirma que "em suas páginas malditas sopra um arrepio do infinito". Será necessário, portanto, esperar o século XX para que o marquês seja definitivamente divinizado.

Em 1909, Guillaume Apollinaire publica uma antologia de escritos e uma pequena biografia de Sade, onde homenageia aquele que considera "o espírito mais livre que jamais existiu no mundo". Com estas palavras, está dado o primeiro passo para que o autor de *Justine* venha a ser venerado pelas vanguardas européias do início do século XX; destaca-se aí a geração que se reúne em torno do surrealismo, que terá especial fascínio por ele, conferindo-lhe lugar de honra no

[11] Segundo Lély, *Vie du marquis de Sade*, tomo II, op. cit., p. 333.
[12] Citado por Duchet, "L'Image de Sade a l'époque romantique", op. cit., p. 225.

cenário da modernidade. Batizado de "divino marquês", Sade será referência decisiva dessa geração, para além mesmo das diversidades ideológicas e estéticas que se desenvolvem no interior do grupo surrealista.

Não são poucas as alusões à obra sadiana e à figura do marquês nas produções artísticas da época. Os manifestos mais importantes do período rendem-lhe homenagens: Artaud inclui a novela *Eugénie de Franval*, adaptada por Pierre Klossowski sob o nome *Château de Valmore*, no primeiro manifesto do teatro da crueldade; em 1924, Breton destaca-o como um dos mais importantes surrealistas *avant la lettre* no manifesto que funda o movimento. Alguns anos mais tarde, já no segundo manifesto, ele irá exaltar a "perfeita integridade da vida e do pensamento de Sade", aludindo à sua "necessidade heróica de criar uma ordem de coisas que em *nada* dependesse do que havia ocorrido antes dele"[13].

No decorrer das décadas de 1920 e 1930, diversos artistas — entre eles Man Ray, Toyen, Salvador Dali, Hans Bellmer e André Masson — tomam as imagens sadianas de crueldade como inspiração de seus trabalhos; pensadores radicais, como Bataille e Klossowski, dedicam-lhe profundas reflexões; no cinema surge Buñuel, que faz referência a cenas libertinas do marquês na maior parte de seus filmes. Da estética, a figura do marquês salta para a política: o grupo francês Contre-Attaque que, em meados dos anos 1930, reúne a intelectualidade de esquerda independente na luta conta o fascismo, tem uma facção (à qual pertencem Breton e Bataille) chamada "Sade". Enfim, como já afirmou um estudioso do tema, Sade era "a pessoa certa para o surrealismo". Mas Apollinaire havia ido além, e profetizara que o marquês iria "dominar o século XX".

Essa profecia começa a se cumprir quando se iniciam estudos mais sistemáticos sobre a vida e a obra de Sade. Maurice Heine funda, em 1924, a Sociedade do Romance Filosófico, cujo objetivo era "publicar os *dijecta membra* de Sade"; a ele caberá a recuperação do precioso manuscrito das *120 journées*, que edita em tiragem de 396 exemplares, na década de 1930. Seu trabalho será continuado, com igual vigor, por Gilbert Lély, que descobre diversos inéditos e escreve, nos anos 1950, a *Vie du Marquis de Sade*, longa e densa biografia. Cumpre lembrar que, nessa metade do século, Jean-Jacques Pauvert está lançando pela primeira vez a obra completa de Sade e — não obstante ter sido processado na ocasião por "desacato à moral e aos bons costumes" —, daí em diante se multiplicarão em ritmo vertiginoso os estudos sobre o marquês e as reedições de seus livros.

[13] André Breton. *Second manifeste du surréalisme*, in *Œuvres Complètes*, tomo I. Paris, Gallimard, 1988, p. 827.

* * *

Aspecto importante e raramente observado quando se toca na repercussão de Sade nos anos 1940 e 1950 é sua relação com a inquietação por que passa o pensamento europeu no pós-guerra. Ao enfrentar as atrocidades que a Segunda Guerra Mundial colocara em cena, grande parte dos intelectuais da época vê-se compelida a repensar as bases de um humanismo que a realidade havia posto em cheque. Sade, a exemplo do que Lévi-Strauss formulou acerca do totemismo, será "bom para pensar" as perplexidades que se colocam então.

Significativo nesse sentido é o fato de que Geoffrey Gorer, biógrafo inglês pouco conhecido, abra seu livro dizendo que o motivo de sua curiosidade pelo marquês foi a ascensão do nazismo na Alemanha:

> os primeiros informes que nos chegaram sobre esse monstruoso regime empregavam constantemente a palavra sadismo para descrever suas crueldades e destruições, e me pareceu que havia interesse em descobrir os vínculos entre as idéias originais do marquês de Sade e as práticas cruéis e duras que se efetuavam na Alemanha e, em menor grau, na Itália de Mussolini.[14]

É certo que Gorer não chega a encontrar vínculos mais sutis entre Sade e o nazismo além daqueles imaginados posteriormente por Pier Paolo Pasolini no filme *Salò o le centoventi giornate di Sodoma* (1975) se as imagens da crueldade podem ser intercambiáveis entre si, permitindo o estabelecimento de um repertório universal, o mesmo não se pode dizer dos sistemas que orientam a manipulação desse imaginário. Será necessário, portanto, que a filosofia entre em cena, com o objetivo de analisar rigorosamente não só as representações do mal, mas sobretudo as concepções que as fundamentam. Esse rigor será encontrado em intelectuais como Jean-Paul Sartre, Simone de Beauvoir e Maurice Blanchot, entre outros, ao formularem um novo olhar para os livros de Sade, buscando ali um esclarecimento de ordem ética, moral e política.

"Não será preferível assumir esse mal do que subscrever esse bem que arrasta consigo abstratas hecatombes?", indaga Simone de Beauvoir, afirmando ser essa a razão pela qual Sade "encontra tantos ecos hoje, quando o indivíduo se sabe vítima menos da maldade dos homens que da boa consciência deles". Palavras que revelam um dos problemas essenciais que se coloca para os pensadores do pós-guerra e

---

[14] Geoffrey Gorer. *Vida e idéias del Marques de Sade*. Buenos Aires, Pleyade, 1969, p. 7.

que, segundo ela, "obseda nosso tempo: a verdadeira relação do homem com o homem"[15]. Assim também dirá Blanchot que "quando enfim vimos no sadismo uma possibilidade concernindo toda a humanidade", um pensamento como o de Sade nos mostra que, entre o homem normal que encerra o sádico num impasse, e o sádico que faz desse impasse uma saída, é este último que leva mais longe o conhecimento sobre a verdade e a lógica de sua situação e que tem dele a inteligência mais profunda, a ponto de poder ajudar o homem normal a compreender a si mesmo, ajudando-o a modificar as condições de toda compreensão.[16]

Considerações dessa ordem certamente colaboram para que possamos entender a atualidade de Sade. Como diz ainda Simone de Beauvoir, "se resta alguma esperança de superar algum dia a separação dos indivíduos, é com a condição de não menosprezá-la"[17]. Para esses pensadores, estudar a obra sadiana significou uma tentativa de entender o egoísmo na sua forma mais acabada, posto que o indivíduo cruel descrito por Sade, de alguma forma, sejam quais forem seus disfarces, ganhou inegável evidência no mundo moderno.

A repercussão da obra sadiana nas últimas décadas só faz comprovar que a história do século XX nos aproximou definitivamente do marquês. A expressão criada por Klossowski — "Sade, meu próximo" —, título de seu livro escrito em 1947, traduz, com notável poder de síntese, a relação do autor de *Justine* com a sensibilidade contemporânea.

Diante do aperfeiçoamento das tecnologias de morte — culminando com os mecanismos industriais de "eliminação natural" desenvolvidos pelos nazistas — torna-se impossível tratar o pensamento de Sade como ocorrência isolada, lançando-o aos declives da loucura. Diante da exacerbação da sensibilidade individualista a que nossa época assiste, já não se pode igualmente admitir que o egoísmo enunciado por seus libertinos seja mero resultado da delirante imaginação de um homem enclausurado. Enfim, diante da falência de um humanismo que sempre excluiu a crueldade de seu discurso, ao preço de fechar os olhos para sua crescente rotinização, chega a ser patético pensar em Sade como "caso clínico".

Hoje, assiste-se efetivamente a "recuperação" do marquês. Ela se dá, ao menos, em dois patamares que, embora distintos, mantêm entre si alguns vínculos. De um lado, há o Sade revisitado pela cultura erudita: não são poucos os indícios de

[15] Simone de Beauvoir. *A mulher desiludida*. Rio de Janeiro, Nova Fronteira, 1967, p. 63.
[16] Maurice Blanchot, "La raison de Sade", op. cit., 1986, p. 66.
[17] Simone de Beauvoir, ibidem, p. 63.

que o interesse por sua obra cresceu significativamente a partir da segunda metade do século XX, corroborado pelas diversas reedições e pelas inúmeras traduções realizadas nos últimos anos, em vários idiomas.

Mais que isso, tal interesse revela-se sobretudo na quantidade de estudos acerca do autor: uma bibliografia organizada em 1973, por E. Pierre Chanover, aponta quase seiscentos títulos publicados, a maior parte deles datada a partir dos anos 1950. Acrescente-se ainda um número expressivo de trabalhos escritos desde a década de 1970, quando começa a se realizar uma verdadeira exegese do pensamento sadiano, por meio de publicações, colóquios e eventos acadêmicos internacionais sobre o tema.

De outro lado, porém, Sade tornou-se um produto, à disposição não só dos consumidores da cultura erudita. Não é pequeno o aparato pornográfico que leva seu nome, abrangendo revistas, filmes e, ainda, as edições do gênero que seus livros acabaram por inspirar. Nesse perverso mundo contemporâneo, marcado por uma vertiginosa circulação de mercadorias, o marquês de Sade transformou-se até mesmo em marca de um champanhe francês, tornando-se objeto de incansáveis e descabidos apelos de *marketing*[18].

Nada mais patético poderia acontecer a quem, num testamento escrito em 1806, havia manifestado o desejo de ser completamente esquecido depois de morto:

> que os traços de minha cova desapareçam por debaixo da superfície da terra assim como eu anseio que minha memória se apague do espírito dos homens, com exceção, contudo, do reduzido número daqueles que bem quiseram me amar até o último momento e de quem levo uma doce recordação ao túmulo.[19]

Com esse testamento, Sade parecia antecipar o paradoxo que sua obra viria a testemunhar no decorrer desses dois séculos.

Se, em vida, o marquês foi obrigado a lançar mão do expediente da "obra póstuma" para publicar seus livros, depois de morto tornou-se impossível "apagar sua memória do espírito dos homens". A obra sadiana sobreviveu ao silêncio, assim como hoje subsiste à sua aclamação. E se isso acontece é porque, ao longo de todo esse tempo, na clandestinidade ou na glória, o pensamento de Sade permanece como um grande enigma.

---

[18] Vale lembrar ainda a existência de um Café de Sade que, situado nas proximidades do castelo de La Coste, no sul da França, tem atraído grande número de turistas que vasculham as ruínas da fortaleza onde viveu o marquês, talvez na esperança de obter um ângulo fotográfico inédito. Segundo reportagem da revista *Newsweek*, 23 de julho de 1990.

[19] Citado por Lély, *Vie du marquis de Sade*, tomo II, op. cit., p. 659.

Em vão tentamos explicá-lo. As palavras de Simone de Beauvoir sobre o marquês não deixam dúvidas quanto a isso: "habitado pelo gênio da contradição, seu pensamento emprega-se em frustrar quem quiser fixá-lo e desse modo ele atinge seu objetivo que é preocupar-nos"[20]. Na verdade, Sade continua sendo irredutível a toda e qualquer interpretação, como têm insistido seus mais lúcidos intérpretes; "felizmente irredutível" e "enigmático", como reitera Michel Delon, o organizador da edição da *Pléiade*. É certo que não conseguimos decifrar o enigma que sua obra apresenta; mas, hoje, sem dúvida, podemos reconhecê-lo. Sade nos obriga a nos pensarmos.

[20] Simone de Beauvoir, *A mulher desiludida*, op. cit., p. 38.

PERVERSO E DELICADO

Há sempre algo de perverso nas leituras de Roland Barthes. Há sempre algo de desviante nas interpretações que ele oferece ao leitor. Tome-se, por exemplo, o livro *Sade, Fourier, Loyola*: ao abordar o libertino, sua atenção recai, não na violência do desregramento erótico como é corrente, mas na volúpia da linguagem; no utopista, ao invés de reiterar a imagem contestatória do revolucionário, ele sublinha a "gulodice da palavra"; no jesuíta, não é o místico abandonado à interlocução divina que o atrai, mas o sujeito "arrebatado pelo jogo da escrita". Trata-se, portanto, de uma crítica que evita os sentidos genéricos e consagrados, para explorar os pormenores, as miudezas, as filigranas do texto[1].

Focado nas particularidades, o olhar de Barthes para a literatura — essa "mestra de nuances", segundo se lê em *O Neutro* —, guarda forte afinidade com seu modo de ver a fotografia. Ao *studium*, que concentra mensagem histórica da imagem segundo os códigos culturais, impõe-se o *punctum*, o detalhe significativo que se apodera da sensibilidade do observador e produz a elaboração mental da foto. Como se saltasse da cena, o ponto destacado pelo olhar incita a uma contemplação de caráter íntimo, muitas vezes tocando em aspectos essenciais da vida, como o amor e a morte.

De fato, essa chave interpretativa pode perfeitamente valer para a atividade de leitura, já que ela também aciona formas de conhecimento investidas pelo

[1] Roland Barthes. *Sade, Fourier, Loyola*. São Paulo, Martins Fontes, 2005.

afeto. Assim, se a melhor foto é aquela que, aguçando nossa consciência afetiva, nos convida a fechar os olhos e divagar, como propõe o autor em *A câmara clara*, o melhor texto é igualmente aquele que nos conduz às paisagens interiores. Não é por outra razão que Barthes está sempre atento às repercussões da escrita na existência do leitor, em especial quando elas se transformam em fonte de prazer. E isso acontece, diz ele, precisamente "quando o texto 'literário' (o livro) transmigra para dentro de nossa vida, quando esta escritura (a escritura do Outro) chega a escrever fragmentos de nossa própria cotidianidade, enfim, quando se produz uma *co-existência*".

Esboça-se aí uma convivência íntima entre escritor e leitor. Melhor dizendo, uma amizade que, sendo tão silenciosa quanto intensa, supõe a descoberta de um campo particular de afinidades eletivas que se sustenta sobretudo no prazer da leitura. Por isso, completa o crítico em *Sade, Fourier, Loyola*, o ato de ler pode ser atravessado por uma espécie de ordem fantasmática, advinda dos detalhes, dos gostos e das inflexões de cada autor. Trata-se, para o leitor, de encontrar na escrita um sujeito oculto que se manifesta como "um simples plural de encantos", como "o luar de alguns pormenores tênues", ou ainda como "um canto descontínuo de amabilidade". Descobre-se assim, que o escritor é "um sujeito para se amar, mas tal sujeito é disperso, um pouco como as cinzas que se atiram ao vento após a morte".

Com um tal ponto de partida, não estranha que o autor de *O prazer do texto* ofereça novas e inesperadas chaves de leitura ao abordar uma figura tão susceptível aos estereótipos como o marquês de Sade. Cada ponto — não deveríamos dizer *punctum*? — que lhe chama a atenção no escritor setecentista parece estar em franco desacordo com o "sadismo" muitas vezes reiterado como seu traço distintivo. Seja a maneira provençal de que se vale o libertino ao empregar a expressão *milli* (senhorita) quando nomeia as jovens destinatárias de sua correspondência, ou então o registro minucioso de suas preferências gastronômicas nas cartas de prisão; sejam as descrições dos figurinos ostentados nos rituais devassos da Sociedade dos Amigos do Crime, ou ainda o detalhamento rigoroso da mobília do deboche no castelo de Silling — o que Barthes pretende revelar do criador de *Justine* é, como ele mesmo definiu, sua "felicidade de escritura".

A visada do crítico recai, portanto, na tessitura das palavras. Valendo-se desse desvio, ele liberta Sade de suas cauções tradicionais — o mal, a violência, o egoísmo —, para então realçar o "princípio de delicadeza" que preside toda a linguagem do deboche, cujo fundamento repousa precisamente nos gostos, nos caprichos, nas fantasias. A delicadeza sadiana, afirma Barthes, não é um produto de classe, um atributo de civilização, um estilo de cultura: ao contrário, ela é uma operação verbal que surge invariavelmente para contrariar as expectativas e, por isso mesmo, constitui "uma língua absolutamente nova, fadada a subverter (não inverter, mas antes fragmentar, pluralizar, pulverizar) o sentido mesmo do gozo". A delicadeza sadiana, conclui o autor em *O Neutro*, é pura perversão.

Ora, como não perceber aí traços daquela co-existência que, reunindo autor e leitor num espaço fantasmático, faz com que a escrita de um descreva o outro? Como então deixar de associar a admiração barthesiana pelo marquês à sua reiterada afirmação da singularidade do desejo? Como, enfim, não reconhecer no elogio à inclinação perversa dos princípios libertinos — inclusive a delicadeza — a utopia de burlar o paradigma a todo custo, *moto perpetuo* de Barthes? Tal como num jogo de espelhos, o ensaísta e o escritor se repercutem mutuamente nesses textos, deixando descoberto um projeto singular que, sendo pessoal e crítico a um só tempo, visa a identificar a "verdade do afeto".

Por certo, um projeto ousado como esse comporta riscos. Nem sempre as afirmações de Barthes sobre Sade são convincentes, sobretudo se confrontadas com as leituras de outros intérpretes vigorosos, como Annie Le Brun, Marcel Hénaff ou Michel Delon, que tendem a privilegiar o pensador sobre o literato. Convém lembrar, nesse sentido, que o próprio marquês insistiu, em diversas passagens de sua extensa obra, no diferencial de seu "modo de pensar" — determinado por um trabalho conjunto e intensivo do corpo e do espírito —, o que por certo supõe uma dimensão mais existencial que literária.

Essa vertente interpretativa, justamente por privilegiar a experiência instituída pelo pensamento, pode levar a caminhos bastante distintos daqueles apresentados por Barthes. Por exemplo, ao defender a idéia de que a viagem dos personagens sadianos nada ensina, e, ainda em *Sade, Fourier, Loyola*, sustentar que ao libertino não interessa educar este ou aquele personagem, mas somente o leitor, suas conclusões talvez sejam apressadas. Basta lembrarmos do intenso processo de educação para o crime por que passa a menina Eugénie, em *La philosophie dans le boudoir*, para discordarmos. O que não dizer, então, do monumental *Les 120 journées de Sodome*, a que o próprio autor alude como "escola de libertinagem" onde, além de se rememorarem todos os requintes do vício, também se formam novos adeptos do deboche, como é o caso da personagem Julie?

Contudo, discordar de Barthes exige certo cuidado, já que seu texto não parece vir com o objetivo de provocar polêmicas, e isso faz com que confrontos dessa ordem percam a razão de ser. A rigor, ele nunca é um autor provocativo, mas sim desejoso de estabelecer com o interlocutor uma via sensível de comunicação, como se acreditasse que as diferenças de interpretação podem coexistir sem engendrar conflitos. Assim concebida, cada nova leitura surge apenas para acrescentar algo ao texto de referência, sem ter que destruir as anteriores. E não é isso que podemos depreender de quem sonha, na *Aula*, com "um luxo que toda sociedade deveria proporcionar a seus cidadãos: tantas linguagens quantos desejos houver"[2]?

Nada mais delicado, convenhamos. Nada mais perverso. Nada mais sadiano. Por isso mesmo, para além das divergências de leitura, talvez se possa afirmar que poucos intérpretes chegaram tão perto do marquês de Sade quanto Roland Barthes.

---

[2] Roland Barthes. *A Aula*. São Paulo, Cultrix, 1980, p. 25

OS PERIGOS DA LITERATURA: O "CASO SADE"

No ano de 1956, o editor Jean-Jacques Pauvert respondeu a um processo na justiça francesa, acusado de publicar livros que atentavam contra a moral. Dez anos antes — ou seja, em 1947 — ele havia dado início à edição das obras completas do marquês de Sade, numa iniciativa pioneira. O ponto de partida da acusação foi um parecer da Comissão Nacional do Livro, emitido um ano antes do processo, que qualificava tais livros de "perigosos". O parecer sustentava que a obra sadiana representava uma ameaça à sociedade por descrever "cenas de orgias, crueldades as mais repugnantes e perversões as mais diversas, contendo intrinsecamente um fermento detestável e condenável aos bons costumes"[1].

De forma geral, os argumentos da promotoria giraram em torno desse juízo oficial, reiterando o perigo iminente da literatura de Sade. Com uma ressalva única, porém, significativa: em certo ponto do ato de acusação, o promotor sugere que existe "um público restrito de espíritos prevenidos" para o qual a leitura do marquês não ofereceria maiores riscos, já que esta seria motivada por interesses puramente intelectuais. "É possível", diz ele, "que o conhecimento dessas obras seja útil, digamos mesmo, se quiserem, necessário aos trabalhos de alguns especialistas e ao espírito particularmente aberto e informado, em uma palavra, aos sábios"[2].

[1] Jean-Jacques Pauvert (org.). *L'Affaire Sade*. Paris, Pauvert, 1957, p. 9.
[2] Idem, ibidem, p. 81.

Com certeza, o promotor se referia sobretudo aos quatro intelectuais que haviam sido convocados para depor a favor de Pauvert. Além do próprio editor, a defesa valeu-se dos testemunhos de André Breton, Jean Cocteau, Jean Paulhan e Georges Bataille que, de distintas perspectivas, confirmaram a importância da obra sadiana para o conhecimento mais profundo da condição humana.

Centrados na relevância de Sade para a reflexão filosófica, esses depoimentos guardam proximidade com a argumentação do promotor sobre o pequeno círculo de leitores legítimos do marquês. Breton chega a evocar uma passagem de *La Philosophie dans le boudoir* para justificar a idéia de que o conteúdo latente dessa literatura seria restrito a certos "seres qualificados": "O marquês de Sade teve o cuidado de dizer (e é uma frase citada com freqüência): 'Eu só me dirijo às pessoas capazes de me compreender; apenas essas me lerão sem perigo'. Eu acredito que devamos tomar essa frase ao pé da letra"[3].

Da mesma forma, ao ser indagado sobre a ameaça de livros como *Justine*, Bataille propõe uma linha de argumentação que coincide com a ressalva da promotoria. Diz ele:

> Com Sade nós descemos a uma espécie de abismo do horror, abismo do horror que devemos conhecer, que é, além disso, um dever particular da filosofia — pelo menos da filosofia que eu represento — colocar em questão, esclarecer e tornar conhecido, mas não, eu diria, de uma maneira geral. Me parece certo que a leitura de Sade deva ser reservada. Eu sou bibliotecário; é claro que não colocaria os livros de Sade à disposição de meus leitores sem determinadas formalidades. Mas uma vez cumpridas tais formalidades — a autorização do encarregado e as demais precauções — acredito que, para qualquer um que queira ir ao fundo do que significa o homem, a leitura de Sade não é apenas recomendável, mas também indispensável.[4]

Mais do que o testemunho de Breton, o depoimento de Bataille reitera que haveria algum risco nessa leitura: se, por um lado, ele a considera "indispensável", por outro, não hesita em afirmar que ela deveria ser "reservada". Não deixa de ser curioso que essas palavras tenham sido pronunciadas justamente pelo autor de *Madame Ewarda*, de *Histoire de l'oeil*[5] e de outros livros eróticos cuja divulgação, nessa linha de raciocínio, exigiria "precauções" semelhantes. A princípio, poderíamos justificar tal cautela pelo fato de Bataille estar diante de um júri, no

---

[3] Jean-Jacques Pauvert (org.), *L'Affaire Sade*, op. cit., p. 64.
[4] Idem, ibidem, p. 56.
[5] Georges Bataille, *História do olho*, Eliane Robert Moraes (trad.). São Paulo, Cosac Naify, 2003.

interior de um tribunal, e talvez comprometido com a argumentação dada pela defesa de Pauvert. Essa hipótese não deve ser descartada.

Porém, não devemos descartar tampouco a possibilidade de o autor de *L'Érotisme* estar expressando suas próprias convicções. Sua declaração supõe certa concepção de perigo que, distinta daquela enunciada pelos guardiões oficiais da moral e dos bons costumes, constrói-se a partir de um conhecimento profundo da literatura sadiana.

Sade disse e repetiu ao longo de toda a sua obra que desejava conhecer o ser humano na sua totalidade, avançando sem medo sobre territórios perigosos, nos quais seus contemporâneos iluministas não ousavam pisar. Para ele, tratava-se de "revelar a verdade por completo", o que implicava abrir mão de todo e qualquer preconceito para ampliar as possibilidades de entendimento do homem, levando em conta suas fantasias mais secretas, cruéis e inconfessáveis. "A filosofia deve dizer tudo", reitera a personagem principal de *Histoire de Juliette*[6].

Quais seriam, vale perguntar, os perigos subjacentes a esse "tudo dizer"? Que tipo de subversão esse tipo de literatura — que interroga o homem a partir de transgressões fundamentais, como o incesto, a tortura e o assassinato — propõe para quem a lê? Ou, colocando a pergunta de outra forma: que ordem de ameaças aos indivíduos e à sociedade pode se ocultar em uma obra que manipula representações do mal, tal como a ficção de Sade, ou mesmo a de Bataille?

Questões como essas são recorrentes quando se menciona o nome do marquês, seja nos círculos restritos de especialistas, seja no âmbito dos simples curiosos. Nas suas formas mais toscas, as respostas a elas resultam ora em difamação — que reduz a obra a uma ameaça, não raro para justificar a censura —, ora em apologia, que opera no sentido de edulcorar o texto, neutralizando sua violência. Descartadas as argumentações fáceis, porém, restam algumas hipóteses mais densas que, uma vez revisitadas, podem contribuir para a compreensão do lugar particular que Bataille ocupa nesse debate.

* * *

Roger Shattuck dedica um longo capítulo de sua obra *Conhecimento proibido* ao "divino marquês". O livro aborda o tema dos perigos da sabedoria, interrogando a legitimidade de se colocar limites ao conhecimento: para o autor, quando o pensamento explora continentes que são objeto de fortes tabus, tal como fez o

---

[6] Sade, *Histoire de Juliette*, tomo IX, op. cit., tomo IX, p. 582.

criador da Sociedade dos Amigos do Crime, as conseqüências podem ser imprevistas e até mesmo devastadoras. A curiosidade nem sempre emancipa o homem e, segundo o autor, há algumas verdades que não devem se tornar conhecidas.

Tomando a obra sadiana como caso exemplar, Shattuck parte de duas questões que resumem suas inquietações:

> Deveremos acolher entre nossos clássicos literários as obras de um autor que violou e inverteu todos os princípios de justiça e decência humanas desenvolvidos ao longo de 4 mil anos de vida civilizada? Terá o século XX cometido, com relação ao marquês de Sade, um dos mais monumentais erros de julgamento cultural ao colocar seus livros entre as obras-primas de nossa literatura?[7]

Na tentativa de respondê-las, ele investiga a longa lista de intelectuais e artistas que seriam responsáveis pela "reabilitação" do marquês no século XX: de Apollinaire aos surrealistas, de Bataille a Foucault, de Barthes a Mishima, de Pasolini a Bergman, de Pauvert a *scholars* contemporâneos. Embora não ceda jamais ao argumento da censura, o autor critica o empenho desses autores, revelando neles uma contradição de base: "em nome da liberdade de expressão, somos capazes de defender práticas como a indecência, a profanação e as expressões de ódio, enquanto ao mesmo tempo tememos seus efeitos sobre a comunidade"[8].

Não se trata, portanto, de uma crítica que se circunscreve apenas ao plano simbólico. Shattuck sustenta que "conteúdos violentos podem ter efeitos criminosos" e, para fundamentar sua afirmação, recorre a dois episódios reais de violência sexual seguida de assassinato, ocorridos nos Estados Unidos nas décadas de 1960 e 1980[9]. Em ambos os casos, os assassinos declararam não só ter conhecimento da obra de Sade, mas também terem se apoiado em suas idéias para executar os crimes. Com base nessas ocorrências, o autor denuncia a capacidade de corrupção dos chamados livros perigosos sobre as consciências: esses textos ativariam fantasmas adormecidos do leitor, agindo como um programa de ação.

De forma geral, Shattuck defende que uma obra literária pode ter impacto sobre o comportamento das pessoas. Ora, o problema é que, embora este seja um argumento plausível, ele não nos autoriza a atribuir maior ou menor eficácia a este ou aquele livro, tendo em vista apenas seu conteúdo manifesto. As relações

---

[7] Roger Shattuck. *Conhecimento proibido*. S. Duarte (trad.). São Paulo, Companhia das Letras, 1998, p. 263.
[8] Idem, ibidem, p. 289.
[9] Idem, ibidem, p. 287.

entre o plano simbólico e o real não se regem por leis mecânicas e qualquer atribuição nesse sentido pecará sempre por falta de provas.

Afinal, por que condenar os textos de Sade e não o romance *Os sofrimentos do jovem Werther* que, segundo consta, provocou centenas de suicídios por toda a Europa nas últimas décadas do século XVIII? Ou então a Bíblia, que já foi igualmente evocada para justificar tantos assassinatos? Dos contos de fadas aos romances de aventura, quase todos os livros contêm, de uma forma ou de outra, os "fermentos" capazes de produzir os tais efeitos corruptores aos quais alude Shattuck — e, não raro, os censores.

* * *

"Sade é um autor perigoso?", a esta questão Octavio Paz responde de forma um tanto diversa do autor de *Conhecimento proibido*. Diz ele: "não acredito que haja autores perigosos; melhor dizendo, o perigo de certos livros não está neles próprios, mas nas paixões de seus leitores"[10]. Semelhante resposta propõe Maurice Heine, o primeiro biógrafo do marquês, ao ser interpelado com a mesma indagação:

> Todos os livros, uma vez nas mãos de degenerados, podem ser considerados perigosos. Não é possível prever que impulso mórbido um degenerado pode receber da mais inocente leitura. Uma narrativa sobre a vida dos santos, ou outra sobre a paixão de Joana D'Arc, pode perfeitamente levar um desses infelizes a se apoderar de sua irmãzinha e assá-la viva...[11]

Essa é uma linha de raciocínio da qual se valem diversos intérpretes do marquês, transferindo a suposta ameaça externa da obra para a vida interior de seus leitores. O argumento é revisitado também por Henry Miller, em ensaio escrito por ocasião da proibição de seu *Trópico de Câncer*, em meados dos anos 1930. Nele, o escritor observa que "não é possível encontrar a obscenidade em qualquer livro, em qualquer quadro, pois ela é tão-somente uma qualidade do espírito daquele que lê, ou daquele que olha"[12].

As idéias de Paz, Heine e Miller vêm reforçar a impossibilidade de se fixar o risco deste ou daquele livro, na medida em que, segundo eles, não existem obras

[10] Octavio Paz. *Un au-delà érotique: le marquis de Sade*. Paris, Cercle du Livre Précieux, 1964, pp. 78-79.
[11] Maurice Heine. "Les livres de Sade, sont-ils dangereux?", in *Sade et le sadisme — Introduction a l'édition des Œuvres Complètes du Marquis de Sade*. Paris, Cercle du Livre Précieux, 1961, p. 38.
[12] Henry Miller, *L'Obscénité et la loi de réflexion*, D. Kotchouhey (trad.). Paris, Pierre Seghers, 1949, pp. 9 e 17.

que sejam perigosas "em si". Ao postular que o perigo já se encontra de antemão no espírito de quem busca a leitura, esses autores caminham na contramão de Shattuck: aqui, não é o texto que ativa os fantasmas de um leitor passivo, passível de ser corrompido; pelo contrário, é o leitor que assume uma posição ativa, fazendo do texto um espelho de seus fantasmas.

A tese é igualmente instigante, mas de certa forma ela termina por anular a violência dos livros em questão. No limite, qualquer obra ofereceria a possibilidade de refletir a subjetividade do leitor — a Bíblia, os contos de fada, os romances de aventura... — e a essa hipótese "projetiva" poderíamos opor à mesma ordem de ressalvas com as quais refutamos o raciocínio "produtivo" de Shattuck.

Afinal, não existem livros que nos transtornam a ponto de nos desviarem de um caminho a outro? A atividade que o leitor põe em curso não pode — e até mesmo deve — ser fundamentalmente transformadora? Conceber um texto apenas como espaço projetivo de sentimentos já existentes no sujeito que lê supõe a leitura como ato por demais passivo, esvaziado de qualquer impacto, o que por certo não deixa de trair o espírito perturbador de obras como as de Sade.

* * *

As concepções de Bataille parecem apontar para uma terceira margem desse debate. Para o autor de *L'Érotisme*, os livros que expressam o mal não se justificam por simples ausência moral, mas sim por expressarem uma "hipermoral". Trata-se de uma literatura que busca "descobrir na criação artística aquilo que a realidade recusa", operando uma espécie de "ruptura com o mundo" e, conseqüentemente, com as exigências sociais de ordem ética e moral. Sua visada última seria a de "despertar, de colocar em jogo propriamente dito, virtualidades ainda insuspeitas"[13].

Ao realizar tal exploração fora das dimensões éticas ou morais, os autores desses livros — que têm em Sade um de seus representantes mais ilustres — abrem mão de todo e qualquer escrúpulo da tradição humanista para discorrer sobre tudo aquilo que nega os princípios desse mesmo humanismo. Para tanto, eles se impõem a tarefa de ouvir a voz dos algozes, considerando seus motivos, e até mesmo a sua falta de motivos, de forma a construir o que Bataille chama de "cumplicidade no conhecimento do mal".

---

[13] Georges Bataille. *La Littérature et le mal*, in *Œuvres Complètes*, tomo IX. Paris, Gallimard, 1979, pp.171-80.

Da mesma forma, essa adesão à hipermoral estaria na base do desafio que a ficção sadiana não cessa de propor ao leitor, na tentativa de estabelecer com ele uma "comunicação intensa". Ou seja, para que essa ordem de conhecimento possa ser reconhecida, já que ela se legitima no ato da leitura, é necessária a cumplicidade de um sujeito que não olha o mal como estranho, como alteridade, mas sim como uma possibilidade que o concerne. O leitor assume, nesse caso, uma parceria com o escritor.

Centrada na idéia de conhecimento, essa posição difere tanto da hipótese "produtiva" de Shattuck (para quem os livros de Sade representam, antes de mais nada, um perigo), quanto da hipótese "projetiva" de Octavio Paz (que recusa qualquer idéia de perigo em tais obras). Ou seja, se para Bataille existe um risco na freqüentação da obra sadiana, esse risco não é fantasmático nem tampouco imposto a uma consciência passiva: ele é partilhado por um leitor ativo, que se constrói no ato da leitura como sujeito do conhecimento. Essa concepção supõe um aprendizado por parte de quem lê, levando em consideração a possibilidade transformadora do contato com o texto.

Nesse sentido, vale a pena convocar Blanchot que, num ensaio escrito no pós-guerra, afirma:

> Quando enfim vimos no sadismo uma possibilidade concernindo toda a humanidade, um pensamento como o de Sade nos mostra que, entre o homem normal que encerra o sádico num impasse, e o sádico que faz desse impasse sua única saída, é esse último que leva mais longe o conhecimento sobre a verdade e a lógica de sua situação, tendo dele a inteligência mais profunda, a ponto de ajudar o homem normal a compreender a si mesmo, ajudando-o a modificar as condições de toda a compreensão.[14]

Das palavras de Blanchot sobre o marquês podemos depreender duas ordens de enunciados, que se complementam um ao outro: primeiro, que esse saber impiedoso sobre o homem, por sua aposta radical na maldade, tende a transgredir as fronteiras do próprio conhecimento; segundo, que ele se propõe efetivamente como um saber transformador, uma vez que contribui para modificar não só o sujeito, mas também as bases do que ele acredita ser a natureza humana.

Bataille acrescentaria um terceira via de compreensão dessa arriscada aventura do saber: trata-se de um tipo de conhecimento que só pode ser enunciado por meio da imaginação artística. Somente a literatura, afirma o autor, "pode colocar

[14] Maurice Blanchot. "La raison de Sade", in *Sade et Restif de la Bretonne*. Bruxelas, Complexe, 1986, p. 66.

a nu o jogo da transgressão da lei independentemente de uma ordem a criar" e, por isso, "assim como a transgressão moral, a literatura é mesmo um perigo". Dizendo melhor: segundo a concepção batailliana, a ficção pode correr o risco de explorar os subterrâneos de nossa humanidade justamente porque está circunscrita ao campo simbólico: "sendo inorgânica, a literatura é irresponsável. Nada pesa sobre ela. Pode dizer tudo"[15].

Reencontramos aqui o "tudo dizer" de Sade que, para o autor de *L'Érotisme*, representa a tarefa que toda literatura autêntica deveria almejar. Sendo inorgânica, a ficção é irresponsável, e sendo irresponsável ela pode "dizer tudo", tornando-se inevitavelmente culpada aos olhos da sociedade.

Tal é o perigo que Bataille reconhece e reivindica para os textos literários que se ocupam do mal: "a literatura não é inocente e, culpada, ela enfim deveria se confessar como tal"[16]. Isso não significa, contudo, que esses livros devam ser condenados à fogueira, como propõem alguns, e nem tampouco edulcorados, como desejam outros. Antes, é preciso afirmar o sentido maior de sua transgressão: perigosa, a literatura de Sade traduz um conhecimento que alarga, queiramos ou não, nossa concepção de humanidade.

---

[15] Georges Bataille, *La Littérature et le mal*, op. cit., p. 182.
[16] Idem, ibidem, p. 172.

REFERÊNCIA DOS TEXTOS

Os ensaios deste livro foram originalmente publicados em:

"A leitura na alcova": *Revista USP*, n. 40, Universidade de São Paulo, dez.-jan.-fev. 1998-1999.

"O gozo do ateu": *Jornal de Resenhas*, Discurso Editorial/USP/Unesp/UFMG/*Folha de S. Paulo*, São Paulo, 9 mar. 2002.

"Um outro Sade": prefácio a D.A.F. de Sade, *Os crimes do amor*, Magnólia Costa Santos (trad.), Porto Alegre, LP&M, 1991.

"A imaginação no poder" sob o título "Sade: uma proposta de leitura": I. Tronca (org.), *Foucault vivo*, Campinas, Pontes, 1987.

"O crime entre amigos" sob o título "Sade, o crime entre amigos": Adauto Novaes (org.), *Libertinos libertários*, São Paulo, Companhia das Letras/ Funarte, 1996.

"A cifra e o corpo: as cartas de prisão do Marquês de Sade": Walnice N. Galvão e Nádia B. Gotlib (orgs.), *Prezado senhor, prezada senhora*, São Paulo, Companhia das Letras, 2000.

"Um mito noturno", sob o título de "Terror sob o signo do gótico": *Idéias – Ensaios*, n. 20, suplemento do *Jornal do Brasil*, Rio de Janeiro, 19 nov. 1989.

"Um libertino no salão dos filósofos" sob o título *Marquês de Sade – Um libertino no salão dos filósofos*. São Paulo, Educ, 1992.

"Quase plágio: Sade e o *roman noir*". *34 Letras*, n. 5/6, Nova Fronteira/34 Literatura, Rio de Janeiro, set. 1989.

"O 'divino marquês' dos surrealistas": Sheila Leirner e Jacó Guinsburg (orgs.), *Surrealismo*, São Paulo, Perspectiva, 2006, Coleção Stylus.

"A fera pensante": *Jornal de Resenhas*, Discurso Editorial/USP/Unesp/UFMG/*Folha de S. Paulo*, São Paulo, 13 nov. 1999.

"O desejo à toda prova" sob o título "Romance baseado na vida de Sade desvirtua pensamento do autor": *Cultura*, suplemento de *O Estado de S.Paulo*, 9 mar. 1996.

"O enigma Sade": apresentação à D.A.F. de Sade, *A filosofia na alcova*, Salvador, Ágalma, 1995.

"Perverso e delicado": dossiê "Roland Barthes" organizado por Leyla Perrone-Moisés, *Revista Cult*, São Paulo, Editora Bregantini, março 2006.

"Os perigos da literatura: o 'caso Sade'" sob o título "Os perigos da literatura: erotismo, censura e transgressão": Sérgio Carrara; Maria Filomena Gregori; e Adriana Piscitelli, *Sexualidade e saberes: convenções e fronteiras*, Rio de Janeiro, Garamond, 2004.

SOBRE A AUTORA

Eliane Robert Moraes é professora titular de Estética e Literatura na Puc-SP e no Centro Universitário Senac-SP. Doutora em Filosofia pela USP, atua como crítica literária, colaborando em jornais e revistas de São Paulo e do Rio de Janeiro. Autora de diversos ensaios sobre o imaginário erótico na literatura, também assina a tradução da *História do Olho*, de Georges Bataille (Cosac & Naify, 2003). Publicou, dentre outros, os livros: *Sade — A felicidade Libertina* (Imago, 1994) e *O Corpo Impossível* (Iluminuras/Fapesp, 2002).

Este livro foi composto em *Garamond* pela *Iluminuras* e terminou de ser impresso no nas oficinas da *Meta Brasil Gráfica*, em Cotia, SP, sobre papel off-white 80g.